第2回

実力テスト

3年生の漢字

目標時間 10分

解答・解説 ▶P.001-P.002

／100

1 次の文の―線の言葉に合う読みを書きなさい。

1つ2点【12点】

(1) 少し休息したほうがいい。（　　）

(2) 食物せんいを十分にとる。（　　）

(3) 炭火で肉を焼く。（　　）

(4) 有名な俳優が舞台《ぶたい》に登板する。（　　）

(5) 豊かな心を育む。（　　）

(6) 新しい筆箱を買う。（　　）

2 次の文の―線の言葉に合う読みをあとのア・イから選び、記号で答えなさい。

1つ2点【16点】

(1) 学校の池に氷が張る。（　　）
ア こおり
イ こうり

(2) ぶつかって鼻血が出た。（　　）
ア はなじ
イ はなぢ

(3) 夜になり家路についた。（　　）
ア かろ
イ いえじ

(4) 地震《じしん》のために屋外へ逃げる。（　　）
ア やがい
イ おくがい

(5) スタッフに貴重品をあずける。（　　）
ア ちょう
イ じゅう

(6) 忘れらない過《か》去がある。（　　）
ア きょ
イ こ

(7) 父の都合……い。（　　）
ア つごう
イ とごう

(8) 公園の新……いだ。（　　）
ア しんろ
イ しんり

3 次の文の□に漢字を書き入れて、文を完成させなさい。

1つ3点【72点】

(1) ここは□《ゆう》□《えい》禁止だ。

(2) ゲームのポイントを□《せん》□《しゅ》する。

(3) 母は大学で□《けん》□《きゅう》をしている。

(4) 紙に□《じゅう》□《しょ》を記入する。

(5) 上の学年に□《しん》□《きゅう》する。

(6) 両親の□《しゃ》□《しん》を撮る。

(7) あの角を□《ま》がると海が見える。

(8) 窓を□《あ》けて日光を浴びる。

(9) □《びょう》□《いん》で出してもらった□《にが》い□《くすり》を□《の》む。

(10) 通っている□《は》□《い》□《しゃ》に□《つ》いた。

(11) □《あん》□《ぜん》に□《もん》□《だい》のあることが□《はん》□《たい》の□《り》□《ゆう》です。

(12) □《きゅう》な□《さか》を上っていく。

(13) □《えき》の□《ちゅう》□《おう》ホームを□《し》□《はつ》の□《れっ》□《しゃ》が通過する。

(14) □《みなと》から船に□《の》って□《しま》へ行《い》く。

(15) □《に》□《かい》から□《うつく》しい□《よこ》□《ぶえ》の□《しら》べが聞こえる。

(16) □《あつ》くなってきたので□《なつ》□《ふく》を□《よう》□《い》した。

(17) そら□《まめ》の□《はたけ》が□《いち》□《めん》に広がる□《のう》□《そん》。

(18) □《りょ》□《かん》にはお□《きゃく》□《さま》のための□《てつ》製の□《きん》□《こ》がある。

(19) □《むかし》、祖父は□《ひつじ》を飼っていた。

(20) □《そう》□《だん》する□《つぎ》の□《よ》□《てい》日を□《て》□《ちょう》にメモする。

(21) □《ほ》□《どう》□《きょう》の□《む》こうに□《しょう》□《てん》街がある。

(22) □《まつ》りをして□《まも》り神に□《へい》□《わ》をいのる。

(23) テニスの□《たま》を打ち□《かえ》す□《れん》□《しゅう》をする。

(24) クラスの□《い》□《いん》□《ちょう》の□《し》□《ごと》を□《たす》ける。

小学校の漢字の
総復習が7日間で
できる本

改訂版

監修
陰山英男
陰山ラボ代表・教育クリエイター

KADOKAWA

はじめに

教室で子どもたちを指導していると、漢字の学習は、国語の一分野の学習ではなく、日本語の意味理解の中核《ちゅうかく》であることを強く感じます。

日本語の文章は、重要な内容が漢字を使った熟語で表され、それらがひらがなでつながれて意味を形成していきます。英語における単語と同じく、漢字や熟語など意味がわからなければ、文章の構造がわかっていても、内容の理解はおぼつかないものになってしまうのです。

しかし、最も問題なのは、漢字が重要であるにもかかわらず、学校教育においてその重要性が十分に理解されているとは思えないことです。その証拠《しょうこ》に、小学生の漢字の定着率を見てみましょう。一年生や二年生は九割以上定着していますが、三年生では早くも八割を切り、四年生以上では七割以下、というのが全国的な平均です。「教科書が読めない」という問題が近年提起されていますが、小学校の高学年以上においてはその漢字力の弱さのために、「読解ができない」ということが日常化しているのです。

では、漢字力をどのように習得すればいいでしょうか。まず、網羅《もうら》的な教材で、漢字を書けるかどうか一気にチェックをし、書けない字をピックアップします。前述の定着率を考慮に入れると、平均で少なくとも全体の六割は覚えているわけですから、覚えていない四割を覚えられるよう絞《しぼ》ればいいのです。

ところが、通常の漢字学習では、覚えている字と覚えていない字を区別せずに学習したり、一緒《いっしょ》に覚えようとしたりしています。それでは、学習効率が大きく下がってしまいます。最も効果的な漢字の学習方法は、まず一気に学習を進めて、覚えられない字をピックアップすることです。そして、そこでわかった覚えられていない字を集中的に覚えていく。こうすれば千字余りの小学校で学ぶ漢字は、意外に短期間に習得できるものです。

学習方法が悪ければ、全く学習ができていないといっても過言ではありません。それは漢字学習において最も顕著《けんちょ》なことなのです。この本は六年分、千字余りを掲載《けいさい》し、その要素までも網羅しました。この本は、おもに「六年生が中学校入学前に小学校の内容を一気に総復習する」ためのご活用を想定していますが、六年生以外でも活用できます。学習した学年までの漢字をチェックし、覚えきれていない漢字を覚え、その土台をもとに、上の学年などで学習する漢字も覚えていくといいでしょう。そうすれば小学校中学年のお子様でも、卒業するまでに習う漢字を覚えることは、そう難しくはないでしょう。

この本は、一冊に小学校の漢字の重要なところをまとめています。ご活用方法を理解していただいたうえで、効率的かつ効果的に学習を進めていただければ幸いです。

監修《かんしゅう》 陰山《かげやま》 英男《ひでお》

contents

DAY 5

DAY 6

DAY 7

巻末資料

※この本では、二〇二〇年四月以降の学習指導要領において、小学校で習う一〇二六字の漢字をすべて掲載しています。ただし、この本は「重要な漢字」を中心に学習できるように構成しているため、一〇二六字すべての漢字が問題として掲載されているわけではありません。

この本の特長と使い方

この本の特長

1 中学校でつまずかないための工夫がいっぱい

2 7日間でやりきれるから、すぐおさらいができる

3 「中学校のさきどり」で、同級生をリードし続けるポイントを伝授

この本の使い方

① 「目標時間」は、その単元に取り組む目安を示しています。この時間内に解き終えられるように進めてみましょう。

② 「復習ポイント」では、しっかりと押《お》さえておくべき「読み方」「書き順」「書き方」などを示しています。この「復習ポイント」を読んでから、問題に取り組みましょう。「読み方」の▲は、中学校以上で習う読み方です。

③ 「中学校のさきどり」では、小学校で学んだこと・中学校でこれから学ぶことを踏《ふ》まえて、同級生を一歩リードするための切り口・知識を伝授します。

④ 「テスト」では、各DAYで学んだことをおもに確認《かくにん》します。

⑤ 「解答・解説」は、本体から切り離すことができます。本体の問題を見ながら、丸付けや復習をしましょう。

②

③

①

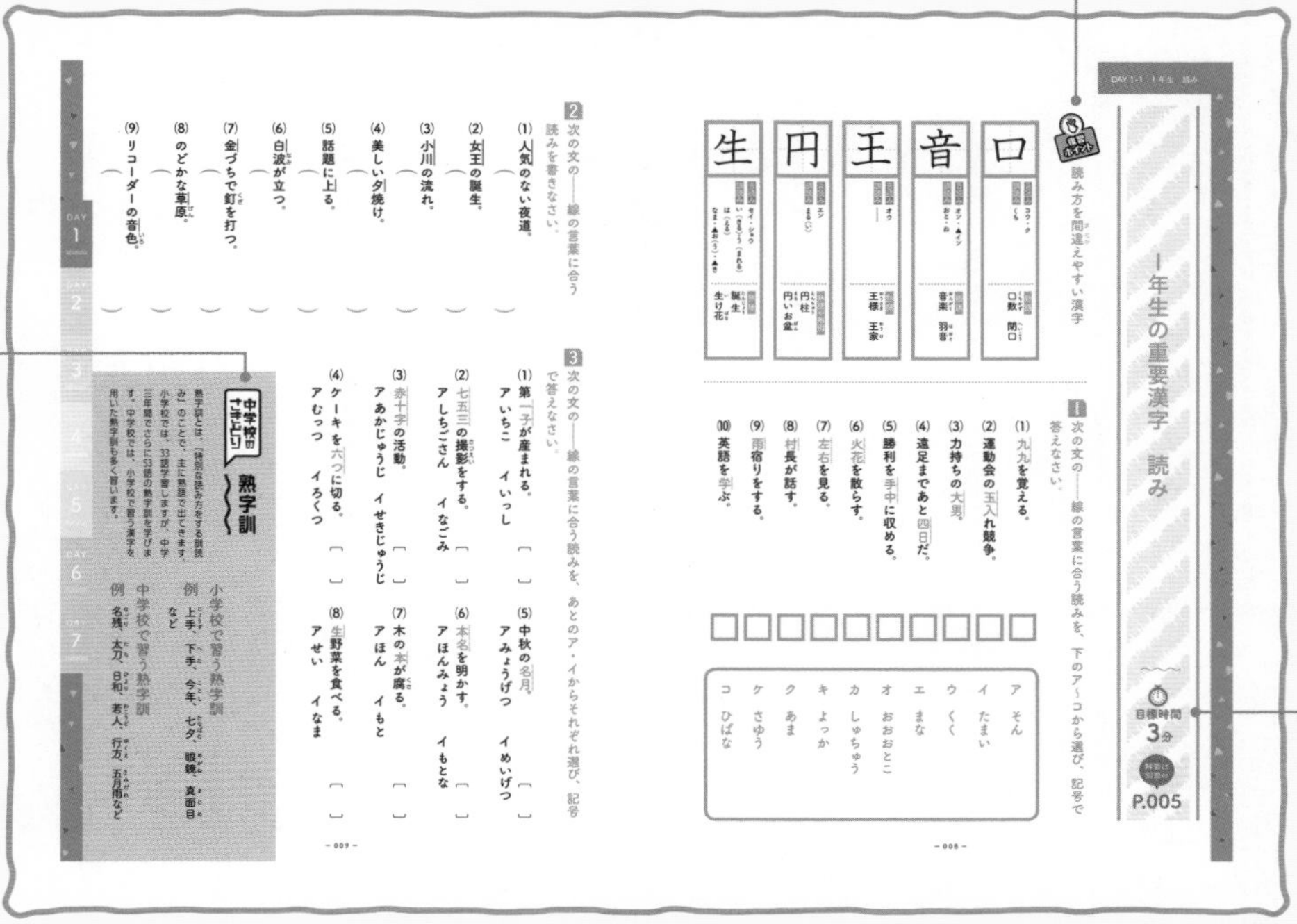
DAY 1-1 1年生 読み

1年生の重要漢字 読み

目標時間 3分

解答は別冊の P.005

読み方を間違えやすい漢字

口 音 王 円 生

1 次の文の――線の言葉に合う読みを、下のア～コから選び、記号で答えなさい。

(1) 九九を覚える。
(2) 運動会の玉入れ競争。
(3) 力持ちの大男。
(4) 遠足まであと四日だ。
(5) 勝利を手中に収める。
(6) 火花を散らす。
(7) 左右を見る。
(8) 村長が話す。
(9) 雨宿りをする。
(10) 英語を学ぶ。

ア そん イ たまい ウ くく エ まな オ おおおとこ カ しゅちゅう キ よっか ク あま ケ さゆう コ ひばな

2 次の文の――線の言葉に合う読みを書きなさい。

(1) 人気のない夜道。
(2) 女王の誕生。
(3) 小川の流れ。
(4) 美しい夕焼け。
(5) 話題に上る。
(6) 白波が立つ。
(7) 金づちで釘を打つ。
(8) のどかな草原。
(9) リコーダーの音色。

3 次の文の――線の言葉に合う読みを、あとのア・イからそれぞれ選び、記号で答えなさい。

(1) 第一子が産まれる。 ア いちこ イ いっし
(2) 七五三の撮影をする。 ア しちごさん イ なごみ
(3) 赤十字の活動。 ア あかじゅうじ イ せきじゅうじ
(4) ケーキを六つに切る。 ア むっつ イ ろくつ
(5) 中秋の名月。 ア みょうげつ イ めいげつ
(6) 本名を明かす。 ア ほんみょう イ もとな
(7) 木の本が腐る。 ア ほん イ もと
(8) 生野菜を食べる。 ア せい イ なま

中学校のさきどり 熟字訓

熟字訓とは、「特別な読み方をする訓読み」のことで、主に熟語で出てきます。小学校では、33語が習いますが、中学三年間でさらに53語の熟字訓を学びます。中学校では、小学校で習う漢字を用いた熟字訓も多く習います。

小学校で習う熟字訓
例 上手、下手、今年、七夕、眼鏡、真面目 など

中学校で習う熟字訓
例 名残、太刀、日和、若人、行方、五月雨など

⑥ ⑤ ④

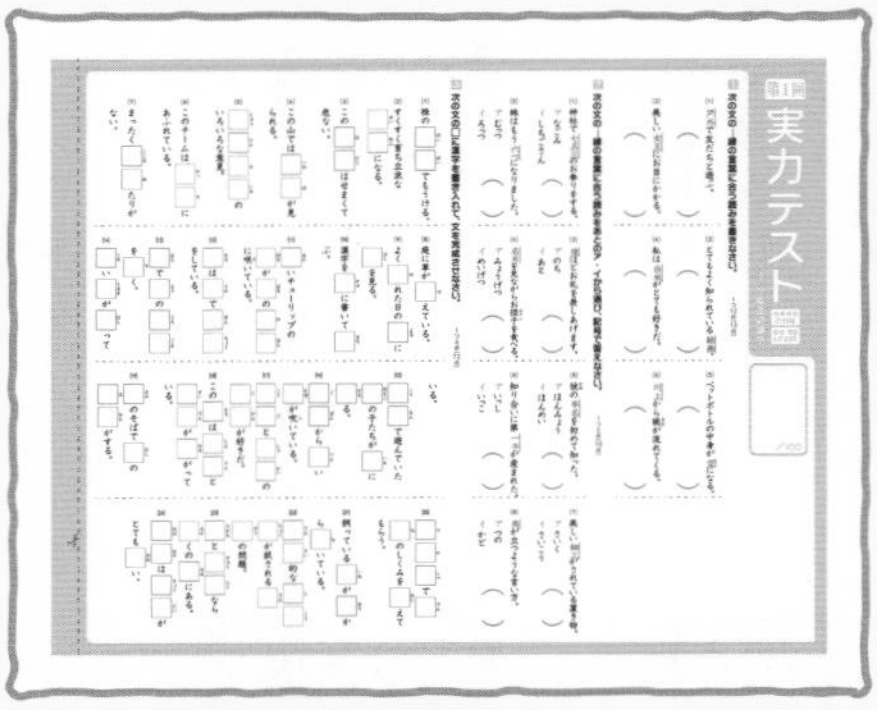

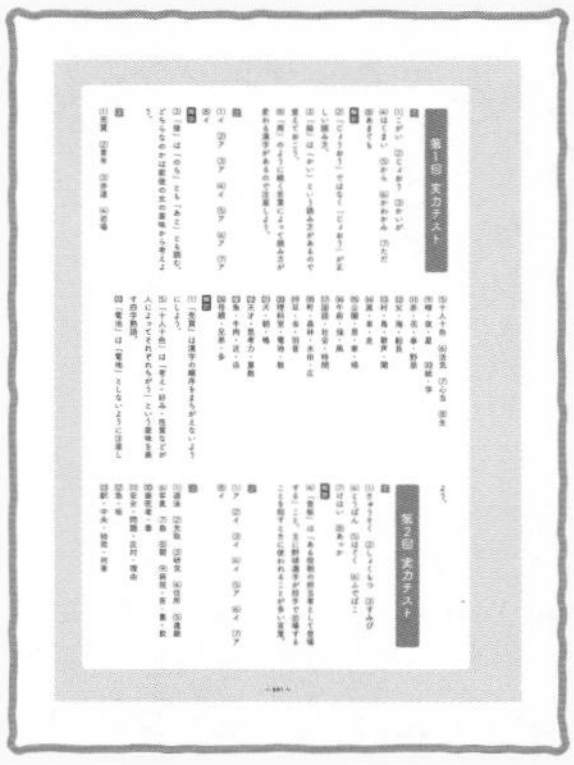

巻頭には「実力テスト」も

⑥　巻頭とじこみの「実力テスト」で重要な単元の力だめしができます。いちばん初めに取り組むのがおすすめです。くわしい使い方は「実力テスト」の表紙にあります。

〈STAFF〉
カバーデザイン：喜來　詩織（エントツ）／本文デザイン：佐藤　雄太（AFTERGLOW）／カバーイラスト：けーしん／イラスト：ツダタバサ／執筆協力：（有）マイプラン、（合）エデュ・プラニング／校正・校閲：（株）鷗来堂、望月　朋子／DTP：（株）フォレスト

1年生の重要漢字　読み

目標時間 3分

解答は別冊の P.005

復習ポイント

読み方を間違《まちが》えやすい漢字

口
- 音読み　コウ・ク
- 訓読み　くち
- 熟語　口数《くちかず》　閉口《へいこう》

音
- 音読み　オン・▲イン
- 訓読み　おと・ね
- 熟語　音楽《おんがく》　羽音《はおと》

王
- 音読み　オウ
- 訓読み　――
- 熟語　王様《おうさま》　王家《おうけ》

円
- 音読み　エン
- 訓読み　まる（い）
- 熟語や用例　円柱《えんちゅう》　円《まる》いお盆《ぼん》

生
- 音読み　セイ・ショウ
- 訓読み　い（きる）・う（まれる）　は（える）　なま・▲お（う）・▲き
- 熟語　誕生《たんじょう》　生《い》け花《ばな》

1

次の文の――線の言葉に合う読みを、下のア～コから選び、記号で答えなさい。

(1) 九九を覚える。
(2) 運動会の玉入れ競争。
(3) 力持ちの大男。
(4) 遠足まであと四日だ。
(5) 勝利を手中に収める。
(6) 火花を散らす。
(7) 左右を見る。
(8) 村長が話す。
(9) 雨宿りをする。
(10) 英語を学ぶ。

ア　そん
イ　たまい
ウ　くく
エ　まな
オ　おおおとこ
カ　しゅちゅう
キ　よっか
ク　あま
ケ　さゆう
コ　ひばな

2 次の文の――線の言葉に合う読みを書きなさい。

(1) 人気のない夜道。（　　）
(2) 女王の誕生。（　　）
(3) 小川の流れ。（　　）
(4) 美しい夕焼け。（　　）
(5) 話題に上る。（　　）
(6) 白波《なみ》が立つ。（　　）
(7) 金づちで釘《くぎ》を打つ。（　　）
(8) のどかな草原《げん》。（　　）
(9) リコーダーの音色《いろ》。（　　）

3 次の文の――線の言葉に合う読みを、あとのア・イからそれぞれ選び、記号で答えなさい。

(1) 第一子が産まれる。
ア いちこ　イ いっし　〔　〕

(2) 七五三の撮影《さつえい》をする。
ア しちごさん　イ なごみ　〔　〕

(3) 赤十字の活動。
ア あかじゅうじ　イ せきじゅうじ　〔　〕

(4) ケーキを六つに切る。
ア むっつ　イ ろくつ　〔　〕

(5) 中秋の名月。
ア みょうげつ　イ めいげつ　〔　〕

(6) 本名を明かす。
ア ほんみょう　イ もとな　〔　〕

(7) 木の本が腐《くさ》る。
ア ほん　イ もと　〔　〕

(8) 生野菜を食べる。
ア せい　イ なま　〔　〕

中学校のさきどり　熟字訓

熟字訓とは、「特別な読み方をする訓読み」のことで、主に熟語で出てきます。小学校では、33語学習しますが、中学三年間でさらに53語の熟字訓を学びます。中学校では、小学校で習う漢字を用いた熟字訓も多く習います。

小学校で習う熟字訓
例　上手《じょうず》、下手《へた》、今年《ことし》、七夕《たなばた》、眼鏡《めがね》、真面目《まじめ》など

中学校で習う熟字訓
例　名残《なごり》、太刀《たち》、日和《ひより》、若人《わこうど》、行方《ゆくえ》、五月雨《さみだれ》など

1年生の重要漢字　書き順

目標時間 3分

解答は別冊の P.005

復習ポイント

書き間違《まちが》えやすい漢字

玉　玉　玉　玉　玉　玉
点は五画目

上　上　上　上

円　円　円　円　円
はねる

田　田　田　田　田　田

右　右　右　右　右　右
あまり長くしない

左　左　左　左　左　左
やや長めに

女　女　女　女
ややつき出る

年　年　年　年　年　年　年

足　足　足　足　足　足　足　足

耳　耳　耳　耳　耳　耳　耳
つき出る

出　出　出　出　出　出

入　入　入
おさえてはらう

九　九　九
角をつけずに曲げて上にはねる

青　青　青　青　青　青　青　青　青

雨　雨　雨　雨　雨　雨　雨　雨　雨
はねる

1 次の文の――線の言葉に合う漢字を書きなさい。

(1) ニュウガク式が楽しみだ。（　　）
(2) ココノつのボールを操《あやつ》る。（　　）
(3) カワカミから流れる滝《たき》。（　　）
(4) 椅子《いす》にオンナの人が座《すわ》っている。（　　）
(5) マルい窓が八つある家。（　　）
(6) スイデンが広がる。（　　）
(7) ボールをヒダリテで持つ。（　　）
(8) 七色に光る宝ギョク。（　　）
(9) 自動車がミギに曲がってきた。（　　）
(10) 財布《さいふ》からお金をダす。（　　）
(11) 外国のセイネンが土足で家に上がる。（　　）
(12) ミミにタコができる。（　　）
(13) 友達よりサキに到着《とうちゃく》する。（　　）
(14) 勉強時間がタりない。（　　）
(15) 降ウ量の多い六月。（　　）

中学校のさきどり

横棒とはらい、どちらが先？

「右」と「左」は形が似ているのに一画目が違うので、書き順には注意が必要です。
まずは「右」と「左」の共通部分「ナ」以外の漢字に注目しましょう。「口」と「工」です。「口」は縦棒から書くので、「右」の一画目は「はらい」です。一方、「工」は横棒から書きます。そのため、「左」の一画目は「横棒」です。「ナ」を持つ他の漢字にも当てはめてみましょう。

右　左

1年生の重要漢字　書き

目標時間
5分

解答は別冊の
P.005

復習ポイント

書き間違《まちが》えやすい漢字・語句

耳
五画目はつき出る。「みみへん」になるとつき出ないことを覚えておく。

文字
「字」の「子」を「宇」のようにしないように注意。

休日
似ている漢字に注意。「休」を「体」と、「日」を「目」と書かないように注意。

千円
「千」の一画目は、はらい。「干」と書かないように注意。

生花
「生」を同音異字の「正」と書き間違えないように注意。

1 次の文の——線の言葉に合う漢字を書きなさい。

(1) 自衛隊のイッシ乱れぬ行進。（　　）
(2) ゲコウ時刻になる。（　　）
(3) ダイガクに進む。（　　）
(4) カリョクを調整する。（　　）
(5) 今日はテンキが良い。（　　）
(6) カブト虫をシュッ荷《か》する。（　　）
(7) タケとんぼを作る。（　　）
(8) 美しい町のナ前を尋《たず》ねる。（　　）
(9) ヤスみの日に団子《だんご》を食べた。（　　）
(10) ソウ朝マラソンを始める。（　　）
(11) クサバナをつむ。（　　）
(12) ほらガイをふく。（　　）
(13) 机上《きじょう》のクウ論。（　　）
(14) キンメダルを二つ取る。（　　）
(15) 本をオン読する。（　　）

2 次の文の――線の言葉に合う漢字を書きなさい。

(1) 樹齢《じゅれい》ハッピャクネンの大木。

(2) 森の中で筍《たけのこ》をニホン見つける。

(3) ジュウニント色《いろ》の答え。

(4) サン頂からの眺《なが》めは最高だ。

(5) クチグルマに乗せられる。

(6) チ代紙を折る。

(7) ダンジョ平等の時代。

(8) コイシを拾う。

(9) 我《わ》がコと夕日を眺める。

(10) イヌも歩けば棒に当たる。

(11) 雑キバヤシの中を歩く。

(12) 大きな字で丁寧《ていねい》に作ブンを書く。

(13) 三つのアンモナイトの化セキ。

(14) お金にイトメをつけない。

(15) タダしい行い。

(16) 弟はハヤウまれだ。

(17) 独自の方法を確リツする。

(18) チクリンの中を歩く。

(19) 土の中の白い幼チュウ。

(20) バスの優セン座席。

(21) 社会ケンガクに出かける。

(22) ほおがアカらむ。

(23) チョウ長はとても正直な人だ。

(24) 山の中のムラを訪《おとず》れる。

(25) 雲一つないアオゾラ。

(26) シンリン浴をする。

テスト 1

目標時間 10分

解答は別冊の P.006

1 次の文の——線の言葉に合う読みを書きなさい。

(1) つい強い口調になる。

(2) 山の向こうに町が見える。

(3) 充実《じゅうじつ》した休日を過ごす。

(4) 先生の話に耳を傾《かたむ》ける。

(5) 海辺で貝殻《がら》を拾う。

(6) 箱の中身は空だった。

(7) 旧校舎が取り壊《こわ》された。

(8) 運動会で玉入れをする。

2 次の文の——線の言葉に合う漢字を書きなさい。

(1) 姉はイチモク置かれている。

(2) 君がいるとヒャクニンリキだ。

(3) 自由にデイりを許可する。

(4) 魚を三枚にオろす。

(5) ここはドソク厳禁だ。

(6) 昼間のツキを観察する。

(7) 大阪は「ミズの都」だ。

(8) フタつのみかんを弟と分ける。

(9) モク製のおもちゃ。

(10) 磁シャクのS極とN極。

(11) 新しい歯がハえる。

(12) 計画をハク紙に戻《もど》す。

(13) 校則が改セイされる。

(14) 約束の時間がハヤまる。

(15) 老若《ろうにゃく》ナン女問わず好きな味。

(16) 高野山《こうやさん》のコン剛峯寺《ごうぶじ》。

(17) モリにすむ動物。

3 次の□に漢字を書き入れて、文を完成させなさい。

(1) □□□□《しちがつなのか》に夜□《ぞら》を□□《みあ》げる。

(2) きれいな□《あま》の□《がわ》がかかる。

(3) お□□《としだま》で□□□《きゅうせんえん》をもらう。

(4) □《くるま》のおもちゃを買って□□《いちもん》無しになる。

(5) □□《あおぞら》の□《なか》に□《しろ》い□《にゅう》道雲がある。

(6) いい□□《てんき》だが、□《あめ》が降るかもしれない。

(7) 有□《めい》な市□□《ちょうそん》の□□《じんこう》を調べる。

(8) □□《せんせい》から再□《さん》再□《し》言われる。

(9) □《むし》が□《くさ》むらで□《う》往□《さ》往する。

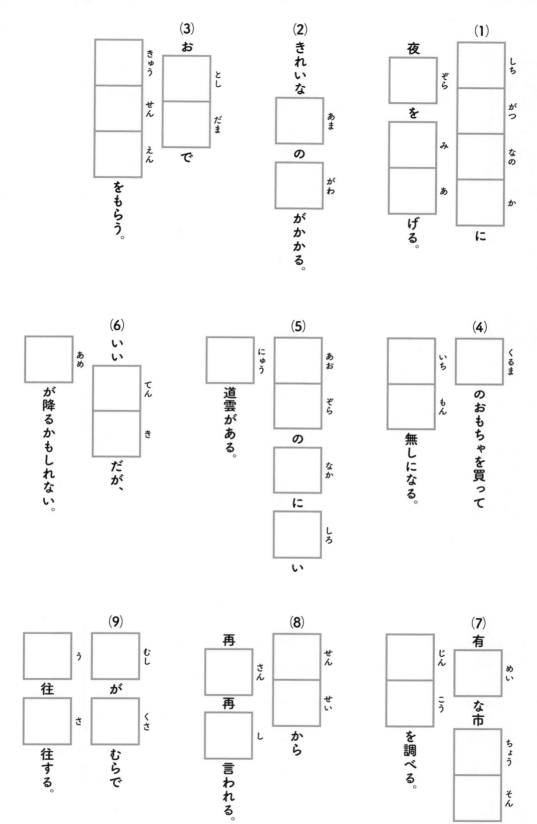

2年生の重要漢字　読み

目標時間 3分

解答は別冊の P.006

復習ポイント

読み方を間違《まちが》えやすい漢字

戸
音読み　コ
訓読み　と
熟語　戸外《こがい》　戸口《とぐち》

組
音読み　ソ
訓読み　く（む）・くみ
熟語　組織《そしき》　組曲《くみきょく》

米
音読み　ベイ・マイ
訓読み　こめ
熟語　米国《べいこく》　米俵《こめだわら》　白米《はくまい》

地
音読み　チ・ジ
訓読み　――
熟語　土地《とち》　地蔵《じぞう》

風
音読み　フウ・▲フ
訓読み　かぜ・かざ
熟語　風光《ふうこう》　風上《かざかみ》　夜風《よかぜ》

1 次の文の――線の言葉に合う読みを、下のア〜コから選び、記号で答えなさい。

(1) 弓矢を放つ。
(2) 南北に分かれる。
(3) 親交を深める。
(4) 将来は作家になりたい。
(5) 図書室を活用する。
(6) 遠近法を用いた絵画。
(7) 短歌を一首よむ。
(8) 原野が広がる。
(9) 弟を家へ帰す。
(10) 文書を通読する。

□□□□□□□□□□

ア　さっか
イ　かえ
ウ　しんこう
エ　つうどく
オ　ゆみや
カ　しゅ
キ　としょしつ
ク　かいが
ケ　なんぼく
コ　げんや

2 次の文の――線の言葉に合う読みを書きなさい。

(1) 古今東西見たことがない有名人。（　　）

(2) 会心の出来《でき》に満足する。（　　）

(3) 春夏秋冬を感じる。（　　）

(4) 朝市に出かける。（　　）

(5) 弱肉強食の厳しい世界。（　　）

(6) 長時間考えて計算する。（　　）

(7) 直ちに実行しましょう。（　　）

(8) 見事な雲海を眺《なが》める。（　　）

(9) 気楽に発言するといい。（　　）

3 次の文の――線の言葉に合う読みを、あとのア・イからそれぞれ選び、記号で答えなさい。

(1) 船の形に細工を施《ほどこ》す。
ア さいく　イ さいこう　［　　］

(2) 公明正大な意見。
ア こうみょう　イ こうめい　［　　］

(3) 寺社巡《めぐ》りが趣味《しゅみ》だ。
ア じしゃ　イ じじゃ　［　　］

(4) 角が立つ一言。
ア つの　イ かど　［　　］

(5) 岩場でカニを見つける。
ア いわば　イ がんじょう　［　　］

(6) 後ほどお答えします。
ア あと　イ のち　［　　］

(7) 円高を機に外国へ行きたい。
ア こう　イ だか　［　　］

(8) 口数の少ない兄。
ア かず　イ すう　［　　］

中学校のさきどり　音読みと訓読み

漢字には音読みと訓読みがあります。中学校では、二字熟語の読み方の種類分けを学びます。1(2)(3)のような音読み＋音読みや、1(1)2(4)のような訓読み＋訓読みなど上下の音訓が同じことが多いですが、上下で音読み訓読みが違《ちが》う熟語もあり、それぞれ名前がついています。

例
- 親友・昼夜《ちゅうや》…音読み＋音読み（音音読み）
- 毛色・北国《きたぐに》…訓読み＋訓読み（訓訓読み）
- 図星・客間…音読み＋訓読み（重箱《じゅうばこ》読み）
- 店番・場所…訓読み＋音読み（湯桶《ゆとう》読み）

2年生の重要漢字 書き順

目標時間 3分

解答は別冊の P.006 ― P.007

復習ポイント

書き間違《まちが》えやすい漢字

丸 — 角をつけずに曲げて上にはねる

万 — はねる

母 — ノと続けて書かない

米

里 — 長く

何 — 七画目

長

門

点

茶 — とめる

書 — 横棒の数に注意

船 — 四、五画目を続けて書かない

園 — とめる

聞

曜

1 次の文の――線の言葉に合う漢字を書きなさい。

(1) 日本各地にブン布する植物。（　　）
(2) 弟の好物はギュウニクだ。（　　）
(3) ゴゴからは晴れるらしい。（　　）
(4) 姉が書道部をイン退する。（　　）
(5) 音楽をトめて集中する。（　　）
(6) ガヨウシを正方形に切る。（　　）
(7) 乾《かん》デンチを買う。（　　）
(8) 今日は掃除《そうじ》トウバンの日だ。（　　）
(9) 元日にコマをマワす。（　　）
(10) セミのハ音《おと》が響《ひび》く。（　　）
(11) 美しいウタゴエが聞こえてくる。（　　）
(12) おいしい料理をツクりたい。（　　）
(13) イモウトの弱点を知っている。（　　）
(14) 父の転勤で上キョウする。（　　）
(15) 算数をオソわる。（　　）
(16) スーパーで鮮《せん》ギョを購入《こうにゅう》する。（　　）
(17) 快セイに恵《めぐ》まれる。（　　）
(18) メンバーがアラたに加わる。（　　）
(19) 遠くまで続く地平センを眺《なが》める。（　　）

中学校のさきどり　部首

小学校で習う部首は、中学生になってもテストや受験、漢字検定などに出題される重要な項目《こうもく》です。しっかり覚えておきましょう。とくに覚え間違いの多い部首は、その都度確認《かくにん》しておきましょう。

部首を間違えやすい漢字の例

- **聞**…「耳（みみ）」→「門（もんがまえ）」ではない
- **鳴**…「鳥（とり）」→「口（くちへん）」ではない
- **同**…「口（くち）」→「冂（どうがまえ）」ではない
- **買**…「貝（かい）」→「罒（あみがしら）」ではない

2年生の重要漢字　書き①

目標時間　5分

解答は別冊の P.007

復習ポイント　書き間《ま》違《ちが》えやすい漢字・語句

番地
「番」の五画目に注意。「釆」と「田」は別に書く。

黄色
「黄」の七画目はつき出る。「色」の六画目の形は、角をつけずに曲げる。

理科
「理」の四画目は右上にはらう。「科」は「料」と書かないこと。

売買
「売」の「士」を「土」と、「買」の「罒」を「四」としないこと。

遠近
「辶（しんにょう）」は三画で書く。「遠」の八画目はとめる。

1　次の文の――線の言葉に合う漢字を書きなさい。

(1) 厚紙のコウサクが得意だ。
(2) 「風邪《かぜ》はマン病のもと」という。
(3) 話のナイ容を整理する。
(4) 祖フボの牧場に行く。
(5) フルびた黒板を使う。
(6) チカくに住む祖母の家へ行く。
(7) 遅刻《ちこく》でもナニクわぬ顔でいる。
(8) 遺《ゆい》ゴン書を発見する。
(9) スーパーのテンチョウ。
(10) 食後におチャを飲む。
(11) 北海道でウミの幸《さち》を味わう。
(12) ピアノ教室にカヨう。
(13) 先生の質問にコタえる。
(14) 妹が赤いエの具を買う。
(15) 実家をシン築する。

2 次の文の——線の言葉に合う漢字を書きなさい。

(1) タサイな兄がぼくの自慢《じまん》だ。

(2) この一室は出入り禁シだ。

(3) 髪《かみ》のケを何度もとく。

(4) ショウスウ派の意見。

(5) 真ゴコロこめて演奏する。

(6) ゆるんだ気をヒき締《し》める。

(7) コウ大な景色に感動する。

(8) 学校ギョウ事に参加する。

(9) ニシ日がまぶしい。

(10) 白米に麦をマぜる。

(11) 蛍《ほたる》がヒカる。

(12) シコウ力を養う問題。

(13) バスがなかなかコない。

(14) 強いタニカゼが吹《ふ》く。

(15) 園児が人《にん》ギョウで遊ぶ。

(16) 教育タイ制を整える。

(17) ユキグニの小さな村。

(18) 50メートル走のタイムをハカる。

(19) アキバれのすがすがしい天気。

(20) 余計なことにクビをつっこむ。

(21) ミナミ向きの部屋をもらう。

(22) ハル雨《さめ》が降る。

(23) 道路の向かいは空きヤが多い地域だ。

(24) コウ温の日は水分補給を忘れずに。

(25) 名声高かった藩《はん》の勢力がヨワまる。

(26) コマかい部品を集める。

(27) 活《い》きのいいサカナを買う。

(28) いつかフナ旅をしてみたい。

(29) 一シュウカンの予定を記す。

2年生の重要漢字 書き②

目標時間 5分

解答は別冊の P.007

復習ポイント

書き間違《まちが》えやすい漢字・語句

雲間
「雲」の三画目ははねる。「間」は「門」「問」など似ている漢字に注意。

昼食
「昼」は「一」を忘れない。「食」の二画目、九画目ははらう。

刀
二画目はつき出ない。「力」としないこと。

夏鳥
「夏」の「百」を「百」としないこと。
「鳥」の六画目は長く書く。

兄弟
「兄」の「儿（ひとあし）」を「八」と、「弟」を「第」としないこと。

---

1 次の文の――線の言葉に合う漢字を書きなさい。

(1) 面積の公式をマル暗記する。（　　）
(2) イマから向かいます。（　　）
(3) 八月もナカばにさしかかる。（　　）
(4) ガイコクゴを話してみたい。（　　）
(5) テラの住職の説法を聞く。（　　）
(6) 天下分け目のカッ戦。（　　）
(7) 田中君とオナじ考えだ。（　　）
(8) 犯人がミズカら名乗り出る。（　　）
(9) チョウのハネを観察する。（　　）
(10) 森の中にあるヤシロ。（　　）
(11) 株のバイバイ。（　　）
(12) サト山の自然を守る。（　　）
(13) 蒸気の力で動くキセン。（　　）
(14) 文章にトウテンをうつ。（　　）
(15) 率直《そっちょく》な意見をキ録する。（　　）

2 次の文の――線の言葉に合う漢字を書きなさい。

(1) 寒いので
モウ布をかぶる。

(2) ウチ気な性格を
直したい。

(3) 夏休みは毎年父の
ジモトに帰る。

(4) ハハオヤは
沖縄県出身だ。

(5) 祭りでたくさんの
屋《や》タイが出る。

(6) 当てがハズれる。

(7) 転校生との
カイワがはずむ。

(8) イケの周りを散歩する。

(9) 犬がハシって
追いかけてくる。

(10) 毎日のマラソンで
カラダを鍛《きた》える。

(11) 小《こ》ムギ粉《こ》を使って
パンをつくる。

(12) 小学校の校モンを
閉める。

(13) 旅行先で
父のチ人に会う。

(14) ホドウ橋をわたる。

(15) 年下に優《やさ》しくするのは
当たりマエだ。

(16) ノハラに寝《ね》転《ころ》がる。

(17) 市長選に出《しゅつ》バする。

(18) トキは金なり。

(19) 京都にいる兄が
キ省《せい》する。

(20) セツ月花《げっか》を
表現した絵画。

(21) 友人と肩《かた》をクむ。

(22) 白クロ
はっきりさせよう。

(23) 台風の勢力がツヨまる。

(24) オウ土色の服を着る。

(25) リビングで
チョウ刊を読む。

(26) 解トウ用紙に書きこむ。

(27) 明日の遠足が
タノしみだ。

(28) 鳥のナき声が聞こえる。

(29) 難しい問題に
アタマを抱《かか》える。

2年生の重要漢字　書き③

目標時間 5分

解答は別冊の P.008

復習ポイント

書き間違《まちが》えやすい漢字・語句

図形
「図」の中のバランスに注意。五画目ははらって、六画目はとめる。

冬場
「場」の「昜」の部分の「一」を忘れて、「易」としないこと。

馬
一画目は縦棒。横棒の数と、「灬」の形にも気をつける。

頭角
「頭」の七画目は右上にはらう。「角」の五画目を下につき出さないこと。

太古
「太」は似ている漢字「大」「犬」と間違えないこと。熟語の意味も確認《かくにん》する。

1 次の文の——線の言葉に合う漢字を書きなさい。

(1) 短《たん》トウを持った侍《さむらい》。（　）

(2) 両親のセツ実な願い。（　）

(3) フトっ腹な叔父《おじ》。（　）

(4) 腹心のトモに出あう。（　）

(5) 血《けっ》ショクがいい。（　）

(6) 祖母のベイ寿《じゅ》のお祝いをする。（　）

(7) 散歩は父のマイアサの習慣だ。（　）

(8) 郷《きょう》リが思い出される。（　）

(9) ヨミセでりんごあめを買う。（　）

(10) ドアの方へアユみよる。（　）

(11) ヒガシの空を見上げる。（　）

(12) 陰暦《いんれき》の九月をナが月《つき》という。（　）

(13) のんびりとしたヒル下がり。（　）

(14) 課外カツ動に参加する。（　）

(15) ゼン例のない新しい試み。（　）

2 次の文の——線の言葉に合う漢字を書きなさい。

(1) チーム一《いち》ガンとなって戦う。
(2) 誰《だれ》にでもワけへだてなく接する。
(3) 雨ドを半分開ける。
(4) 国内シジョウ向けのデザイン。
(5) キョウダイで夕方帰宅する。
(6) 彼の境遇《きょうぐう》にドウ情する。
(7) シキシに寄せ書きをする。
(8) 店先で茶菓子《がし》をウる。
(9) 火山の噴火《ふんか》で溶《よう》ガンが流れ出る。
(10) 夕日で空がアカらむ。
(11) 大きなフウ車が回転する。
(12) 夜空に北斗《ほくと》七セイを見つける。
(13) ヤチョウを観察する。
(14) 逃《に》げミチを見つける。
(15) 美しい田《でん》エン地帯。
(16) 外国で見ブンしたことをまとめる。
(17) 週末に家族でカタらう。
(18) 土ヨウ日は家族で映画館に行く。
(19) 冷水で洗ガンする。

中学校のさきどり　二種類の読みを持つ熟語

2(4)は「いちば」、(7)は「いろがみ」、(11)は「かざぐるま」というもう一つの読み方があります。このような「二種類の読みを持つ熟語」は中学校でも多く学習します。(4)や(7)のように意味が変わるものもあれば、変わらないものもあります。

例（——線部は中学で習う読みや熟字訓）

・見物　けんぶつ　みもの
・生花　せいか　いけばな
・牧場　ぼくじょう　まきば
・紅葉　こうよう　もみじ

テスト 2

目標時間 10分

解答は別冊の P.008

1 次の文の――線の言葉に合う読みを書きなさい。

(1) 戸外で遊ぶ。（　　）

(2) 日本の米所と有名な新潟県。（　　）

(3) 時計を形見《み》にもらう。（　　）

(4) 身近な植物を研究する。（　　）

(5) 蒸気機関車が汽笛を鳴らす。（　　）

(6) 雰囲気《ふんいき》のいい茶店に入る。（　　）

(7) 絵空事《そらごと》ばかり並べる。（　　）

(8) 遅《おそ》めの昼食をとる。（　　）

2 次の文の――線の言葉に合う漢字を書きなさい。

(1) ユミ張り月が夜空に映《は》える。（　　）

(2) 英サイキョウ育《いく》を謳《うた》う学校。（　　）

(3) 木のマルタ小屋に泊《と》まる。（　　）

(4) 正《しょう》ゴになったら休憩《きゅうけい》しよう。（　　）

(5) 話しカタに気をつける。（　　）

(6) 朱《しゅ》にマジわれば赤くなる。（　　）

(7) セイ洋の文化を取り入れる。（　　）

(8) アンケートにカイトウする。（　　）

(9) 立派なシカのツノ。（　　）

(10) 清らかなタニ川《がわ》の流れ。（　　）

(11) オモいの外《ほか》元気な入院中の姉。（　　）

(12) 道路の照明がテン灯《とう》する。（　　）

(13) 感動を心にシルす。（　　）

(14) バカズをふんで慣れていく。（　　）

(15) 山田君とは旧知のアイダ柄《がら》だ。（　　）

(16) シタしき中にも礼儀《れいぎ》あり。（　　）

(17) 幼児がキイロい声を出す。（　　）

3 次の文の□に漢字を書き入れて、文を完成させなさい。

(1) □《まん》年筆を□《もち》いて□《ほそ》い□《ちょく》□《せん》を□《ひ》く。

(2) □《うお》□《ごころ》あれば水□《ごころ》。

(3) 正《しょう》□《じき》者の□《あね》に白《しら》□《は》の□《や》が立つ。

(4) □《みょう》□《ちょう》六□《じ》から□《もん》限まで□《あに》と出かける。

(5) □《いろ》□《がみ》を□《なん》度も□《はん》□《ぶん》に□《き》る。

(6) 祖□《ふ》□《ぼ》は□《うし》と□《うま》と□《とり》を飼っている。

(7) 将□《らい》は□《こう》□《こ》学者になりたい。

(8) 日□《よう》日は一□《くみ》と二□《くみ》が□《ごう》□《どう》で□《さ》業する。

(9) □《きょう》都は□《ちゅう》□《や》を問わず賑《にぎ》わう□《こう》□《らく》□《ち》だ。

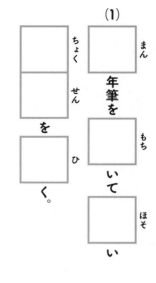

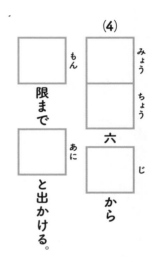

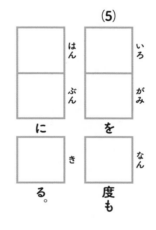

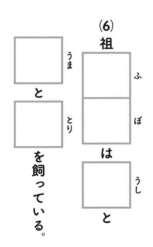

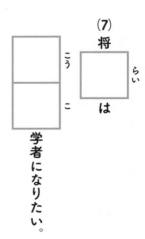

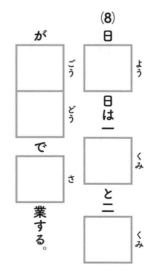

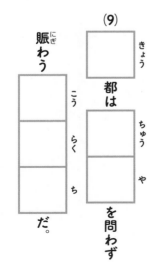

3年生の重要漢字　読み

目標時間 3分

解答は別冊の P.008–P.009

復習ポイント

読み方を間違《まちが》えやすい漢字

岸
音読み　ガン
訓読み　きし
熟語　海岸《かいがん》　川岸《かわぎし》

去
音読み　キョ・コ
訓読み　さ（る）
熟語　去年《きょねん》　過去《かこ》　去《さ》り際《ぎわ》

苦
音読み　ク
訓読み　くる（しい）・くる（しむ）・くる（しめる）・にが（い）・にが（る）
熟語　困苦《こんく》　苦手《にがて》　苦《くる》しまぎれ

屋
音読み　オク
訓読み　や
熟語　屋外《おくがい》　部屋《へや》

係
音読み　ケイ
訓読み　かか（る）・かかり
熟語　係数《けいすう》　図書係《としょがかり》

1 次の文の——線の言葉に合う読みを、下のア～コから選び、記号で答えなさい。

(1) 彼《かれ》が今日の主役だ。
(2) 投打共に優《すぐ》れたチーム。
(3) 幸いにも全て解決した。
(4) 感受性を育む。
(5) 小鳥を放つ。
(6) 方向が定まる。
(7) 苦い薬を飲む。
(8) 湖面に映る美しい桜。
(9) 街路樹が落葉する。
(10) 荷物を整える。

ア　らくよう
イ　ととの
ウ　しゅやく
エ　とうだ
オ　こめん
カ　はぐく
キ　はな
ク　にが
ケ　すべ
コ　さだ

2 次の文の――線の言葉に合う読みを書きなさい。

(1) 病状が悪化する。（　　　）
(2) 表面に氷がはる。（　　　）
(3) 深海魚を調べる研究所。（　　　）
(4) 委細を報告する。（　　　）
(5) 野球の試合に初登板する。（　　　）
(6) 都会のデパートに品物を運ぶ。（　　　）
(7) 制限速度を守って運転する。（　　　）
(8) 姉は流行に敏感《びんかん》だ。（　　　）
(9) お気に入りの筆箱。（　　　）

3 次の文の――線の言葉に合う読みを、あとのア・イからそれぞれ選び、記号で答えなさい。

(1) 一点差を死守する。
ア　ししゅ　イ　しす　〔　〕
(2) 鼻血が出る。
ア　はなじ　イ　はなぢ　〔　〕
(3) 貴重品を預かる。
ア　ちょう　イ　じゅう　〔　〕
(4) 事件が迷《めい》宮入りする。
ア　きゅう　イ　ぐう　〔　〕
(5) 旅路を急ぐ。
ア　たびじ　イ　たびぢ　〔　〕
(6) 歯科医院へ通う。
ア　し　イ　は　〔　〕
(7) 新緑のきれいな季節。
ア　ろく　イ　りょく　〔　〕
(8) 山奥にある大きな館。
ア　やしろ　イ　やかた　〔　〕

中学校のさきどり　音読みと訓読み

漢字の読みには「音読み」と「訓読み」があります。音読みは中国から入ってきた読み方なので、それだけでは意味がわかりにくいのが特徴《とくちょう》です。訓読みは日本でつくられた読み方なので、それだけで意味がわかるものが多いです。

例	音読み	訓読み
岸	ガン	きし
神	シン・ジン	かみ・かん・こう
究	キュウ	きわ(める)
和	ワ・オ	やわ(らぐ)・やわ(らげる)・なご(む)・なご(やか)

（――線部は中学・高校で習う読み）

3年生の重要漢字 書き順

目標時間 3分

解答は別冊の P.009

復習ポイント 書き間違《まちが》えやすい漢字

皮 皮 皮 皮 皮 皮
一画目

世 世 世 世 世
やや長く

式 式 式 式 式 式
二画目

有 有 有 有 有 有

医 医 医 医 医 医 医

局 局 局 局 局 局 局

身 身 身 身 身 身 身
つき出ない

服 服 服 服 服 服 服 服

級 級 級 級 級 級 級 級 級
七画目

発 発 発 発 発 発 発 発 発
五画目

乗 乗 乗 乗 乗 乗 乗 乗 乗
横棒の数に注意

第 第 第 第 第 第 第 第 第 第 第

集 集 集 集 集 集 集 集 集 集 集 集
横棒の数に注意

感 感 感 感 感 感 感 感 感 感 感 感 感
一画目

整 整 整 整 整 整 整 整 整 整 整 整 整 整 整 整

I 次の文の――線の言葉に合う漢字を書きなさい。

(1) 降水量の多い地ク。（　　）

(2) コウ上《じょう》心を持って取り組む。（　　）

(3) かわいがっていたペットがシぬ。（　　）

(4) 両親にク労をかける。（　　）

(5) 真実をツイキュウする。（　　）

(6) 昔懐《なつ》かしショウワの時代。（　　）

(7) 判断をユダねる。（　　）

(8) 海《かい》ガン沿いを裸足《はだし》で歩く。（　　）

(9) カカリインに誘導《ゆうどう》してもらう。（　　）

(10) ヤネ裏に上る。（　　）

(11) ビョウインを開設する。（　　）

(12) 甘《あま》ザケを飲む。（　　）

(13) ワルい知らせを受ける。（　　）

(14) シュクダイを終わらせる。（　　）

(15) アタタかいスープを飲む。（　　）

(16) 夏のアツさに耐《た》える。（　　）

(17) 松の木をショク林《りん》する。（　　）

(18) 最寄《もよ》りのエキから歩いて帰る。（　　）

(19) 予定をチョウセイする。（　　）

中学校のさきどり

同音異義語

I (5)には「同じ音《おん》で意味が異なる漢字や熟語」である同音異義語があります。

小学校で学ぶ漢字は1026字ですが（二〇二〇年四月以降）、中学校では、さらに1110字の漢字を学びます。同音異義語の種類も増えます。

例「ついきゅう」

・利益を追求する…追い求めること。
・原因を追究する…深く調べること。
・責任を追及する…どこまでも追いつめること。

3年生の重要漢字　書き①

目標時間 5分

解答は別冊の P.009

復習ポイント

書き間違《まちが》えやすい漢字・語句

寒波
「寒」の横棒は三本。八画目は長く書く。十一、十二画目の「、」の向きにも注意。

流氷
「氷」を「水」「永」などと書き間違えないこと。

勝負
「勝」の十画目の書き始めの位置に注意。「力」を「刀」としないこと。

庭球
「庭」の八画目と九画目を一気に書かないこと。「壬」を「王」としない。

旅館
「旅」が「族」にならないように。「館」の「官」を「宮」としないこと。

1 次の文の――線の言葉に合う漢字を書きなさい。

(1) タヌキが人間にバける。（　　）

(2) ゴミを中オウに集める。（　　）

(3) 過コを振《ふ》り返る。（　　）

(4) アンゴウを寸秒で解読する。（　　）

(5) 息をひそめてミを隠《かく》す。（　　）

(6) ハイシャへ通う。（　　）

(7) 厳しいキョクメンだ。（　　）

(8) 門扉《もんぴ》をカイホウする。（　　）

(9) 家族のコウフクを願う。（　　）

(10) 意外なハッソウで皆《みな》が驚《おどろ》く。（　　）

(11) 説法を聞き精シンが安らぐ。（　　）

(12) 事態がキュウテンする。（　　）

(13) 時計の短針とビョウ針。（　　）

(14) 朝六時にキ床《しょう》する。（　　）

(15) ショウ社に勤める兄がいる。（　　）

2 次の文の――線の言葉に合う漢字を書きなさい。

(1) オモに弟が祖父の農場を手伝う。（　　）
(2) ヨの中の反感を買う。（　　）
(3) ホカの人の意見に賛同する。（　　）
(4) ヒ肉にも頑固《がんこ》な性格が父と似る。（　　）
(5) 板書をノートにウツす。（　　）
(6) 欧《おう》シュウへ視察旅行に行く。（　　）
(7) 出張で三日間留スにする。（　　）
(8) アり金をはたいて服を買う。（　　）
(9) 大《だい》ズは健康食品だ。（　　）
(10) 手紙のヘンジを書く。（　　）
(11) トりつく島もないほど怒《おこ》っている。（　　）
(12) 台所でカレーのグ材を切る。（　　）
(13) シュウシ笑顔《えがお》で過ごす。（　　）
(14) メールをジュ信する。（　　）
(15) お礼の気持ちをアラワす。（　　）
(16) 父に代わりキャク人《じん》をもてなす。（　　）
(17) スミ火で魚を焼く。（　　）
(18) 叔父《おじ》のショウソクがつかめない。（　　）
(19) 新聞をハイ達する。（　　）
(20) 野鳥の宝《ほう》コとして知られる高原。（　　）
(21) 船の汽テキが鳴る。（　　）
(22) 心をウゴかされる話。（　　）
(23) 店先で雨ヤドりをする。（　　）
(24) 髪《かみ》の毛をミジカく切る。（　　）
(25) 急須《きゅうす》に熱トウを注ぐ。（　　）
(26) ショ中見舞《みま》いを出す。（　　）
(27) 練習を重ねヒ願《がん》の優勝を果たす。（　　）
(28) 沿岸漁《ぎょ》ギョウがさかんな港町。（　　）
(29) 世界の橋についてシラベる。（　　）

DAY 1
DAY 2
DAY 3
DAY 4
DAY 5
DAY 6
DAY 7

3年生の重要漢字 書き②

目標時間 5分

解答は別冊のP.009－P.010

復習ポイント

書き間違《まちが》えやすい漢字・語句

育つ 一画目は真っすぐ下に書く。部首「月（にくづき）」も注意して覚える。

祭り 一画目を忘れて「夕」のようにしない。五、六画目を「ス」のようにしない。

遊泳 「遊」の「辶」以外の形に気をつける。「泳」の右側を「氷」などにしない。

屋根 「屋」の六画目はとめる。「根」の九、十画目を一度に書かないこと。

美味 「美」の横棒の数に注意。「羊」と「大」に分かれていることを覚えておく。

1 次の文の――線の言葉に合う漢字を書きなさい。

(1) 体をソらす運動。（　　）

(2) シュクンに忠実な家臣。（　　）

(3) 西《せい》ヨウシキの生活に憧《あこが》れる。（　　）

(4) アン易《い》な考えを捨てる。（　　）

(5) 夏目漱石《なつめそうせき》ゼンシュウが揃《そろ》う。（　　）

(6) 父はマがったことが嫌《きら》いだ。（　　）

(7) 試合に向けてケツイする。（　　）

(8) 新幹線のシテイ席に座る。（　　）

(9) 埼玉ケンに住んでいる。（　　）

(10) 木の実をヒロう。（　　）

(11) 早起きのシュウ慣をつける。（　　）

(12) リレーのダイ一走者を務める。（　　）

(13) 大阪は「水のミヤコ」だ。（　　）

(14) 叱《しか》られたヨウ子《す》の妹。（　　）

(15) 道路をオウ断する。（　　）

2 次の文の――線の言葉に合う漢字を書きなさい。

(1) 祖父は三チョウ目に住んでいる。（　　）

(2) 金づちで釘《くぎ》をウつ。（　　）

(3) ヒツジを六頭飼っている。（　　）

(4) 被災地《ひさいち》で人命救ジョにあたる。（　　）

(5) アブラを売らずに早く帰ろう。（　　）

(6) 祖父のムカシ話を聞く。（　　）

(7) クラス全員のチュウ目を浴びる。（　　）

(8) 本のヒッシャにメッセージを送る。（　　）

(9) 先生にソウダンする。（　　）

(10) タイ望の赤ちゃんが生まれる。（　　）

(11) 八時の列車にジョウ車する。（　　）

(12) ある国には電チュウがほぼない。（　　）

(13) その仕事は私にはオモニだ。（　　）

(14) リョカンに泊《と》まる。（　　）

(15) 山田くんは短距離《たんきょり》走がハヤい。（　　）

(16) 春のヨウ光がまぶしい。（　　）

(17) リボンをヒトしい長さに切る。（　　）

(18) 眠気《ねむけ》に打ちカつ。（　　）

(19) 富士山にノボる。（　　）

中学校のさきどり　同訓異字

同じ訓読みの異なる漢字を表す「同訓異字」の数も、中学校に入るとさらに増えます。2(2)「う（つ）」もそのうちの一つです。頭の中でイメージしながら、漢字の持つ意味の理解を深めましょう。

例「うつ」

- 打つ…物をたたくこと。　例：ボールを打つ。
- 討つ…相手を攻め滅《ほろ》ぼすこと。　例：敵《かたき》を討つ。
- 撃つ…鉄砲《てっぽう》などで射撃《しゃげき》すること。　例：的をねらい撃つ。

3年生の重要漢字　書き③

目標時間 5分

解答は別冊の P.010

復習ポイント

書き間違《まちが》えやすい漢字・語句

農業
「農」は「辰」の形に注意。「業」は一〜四画目の形に注意する。

開ける
同訓異字の多い漢字。「明ける」「空ける」とは意味が違う。

関係
「係」の三画目を忘れないこと。

写実
「写」は四画目の形に注意。「実」は六画目を長く書くとバランスがよい。

平等
「等」は「筆」と書かないように。九画目を長く書くとバランスがよい。

1 次の文の——線の言葉に合う漢字を書きなさい。

(1) 兄の高校の文《ぶん》カサイに行く。（　　）
(2) 薬局関係のシゴトに就《つ》きたい。（　　）
(3) 毛ガワのコートを着る。（　　）
(4) 交通事故がアイツいで起こる。（　　）
(5) 薬の量は必ずマモろう。（　　）
(6) 日本レットウを縦断した。（　　）
(7) 転んで出《しゅっ》ケツする。（　　）
(8) 急なサカ道を下る。（　　）
(9) 修学旅行の日程がキまる。（　　）
(10) 県の観光大シに任命される。（　　）
(11) 寒いのでフク装に気をつける。（　　）
(12) ニバイソクで再生する。（　　）
(13) お正月にインシュする。（　　）
(14) 中国の有名なカンシを読む。（　　）
(15) テッキョウを渡《わた》る。（　　）

2 次の文の――線の言葉に合う漢字を書きなさい。

(1) 遅刻《ちこく》の理ユウを尋《たず》ねる。（　　）

(2) もっと前ムきに考えよう。（　　）

(3) 質問をナげかける。（　　）

(4) 保イク士を目指している。（　　）

(5) 経済発展のナミに乗る。（　　）

(6) スープのアジ見をする。（　　）

(7) サバンナにすむドウブツ。（　　）

(8) パソコンをツカいこなす。（　　）

(9) 古びた家《か》オクが残る町。（　　）

(10) 機械の部品をトラックでウンソウする。（　　）

(11) 中学二年生にシンキュウする。（　　）

(12) 人気者の姉にオい目を感じる。（　　）

(13) トンネルを抜《ぬ》けて視カイが広がる。（　　）

(14) 書類をジ参する。（　　）

(15) 物語の主人公に自分をカサねる。（　　）

(16) 商店街に陽気な曲がナガれる。（　　）

(17) ニワに木を植える。（　　）

(18) コン気《き》よく待つ。（　　）

(19) 神社へおミヤ参りに出かける。（　　）

(20) 心クバりのできる人になりたい。（　　）

(21) マっすぐ進むと学校に着く。（　　）

(22) 速いタマを追いかける。（　　）

(23) カルはずみな発言に気をつける。（　　）

(24) 夏休みキ間に身長が伸《の》びる。（　　）

(25) 漁コウにたくさんの船が停《と》まる。（　　）

(26) ミズウミのほとりに建つホテル。（　　）

(27) まだ薄《うす》グラい早朝。（　　）

(28) ギンの指輪をはめる。（　　）

(29) 時間をかけて計画をネる。（　　）

3年生の重要漢字　書き④

目標時間 5分

解答は別冊のP.010

復習ポイント

書き間違《まちが》えやすい漢字・語句

幸せ
中学校で習う「辛《から》い食べ物」などの「辛」と混同しないようにする。

悲しい
一画目ははらい、五画目はとめる。書き順にも注意したい漢字。

鼻息
どちらも「自」の部分を「白」にしないように。

重荷
「重」の横棒の数に注意する。「荷」は「艹（くさかんむり）」を忘れない。

筆者
「筆」の横棒の数に気をつける。十二画目はつき出る。

1

次の文の――線の言葉に合う漢字を書きなさい。

(1) 目をサラにして探す。（　　）
(2) 社長にツカえる。（　　）
(3) 市長に取材をモウしこむ。（　　）
(4) ヒラオヨぎが得意だ。（　　）
(5) ヨウ毛の洋服に愛着がわく。（　　）
(6) 田中家のジ男として生まれる。（　　）
(7) ジュウショと氏名を記入する。（　　）
(8) ミノりのある話し合い。（　　）
(9) 生き物全てのイノチが尊い。（　　）
(10) ユ性ペンで書く。（　　）
(11) イタ前《まえ》を目指し修業《しゅぎょう》を積む。（　　）
(12) ベン学にはげむ。（　　）
(13) 強くヤマイに立ち向かう。（　　）
(14) 演劇ブに所属する。（　　）
(15) ユ気《げ》が立ちこめる温泉街。（　　）

2 次の文の――線の言葉に合う漢字を書きなさい。

(1) 名前のユ来《らい》を調べる。（　　）
(2) 君が手伝ってくれるとタスかる。（　　）
(3) 冷静なタイ応を心がける。（　　）
(4) 枝マメをゆでる。（　　）
(5) 担当患者《かんじゃ》にトウヤクする。（　　）
(6) タン酸水を飲む。（　　）
(7) 一面に広がる茶バタケ。（　　）
(8) 木々の緑がウツクしい。（　　）
(9) 一家の大黒バシラとして働く。（　　）
(10) 黒板の字をケす。（　　）
(11) 他者に責任をトう。（　　）
(12) 秋がフカまる。（　　）
(13) 日記チョウを毎日つける。（　　）
(14) 手紙の文ショウを考える。（　　）
(15) 夕方になったがまだアソびたい。（　　）
(16) 児ドウ会の活動報告。（　　）
(17) 長いカイ段の先に酒屋がある。（　　）
(18) ケイ快なリズムで笛を吹《ふ》く。（　　）
(19) 春は昼と夜のカン暖差が激しい。（　　）

中学校のさきどり 日本でできた漢字

漢字は中国から入ってきた文字だということを知っている人は多いでしょう。しかし、日本でつくられたオリジナルの漢字があることは知っていますか？ 2(7)の「畑」のような日本独自の漢字を「国字」といいます。

国字は普通《ふつう》、音読みがないのが特徴《とくちょう》です。（「働」など、例外もあります。）

例
- 畑（はた・はたけ）
- 働（ドウ・はたら―く）
- 栃（とち）

テスト 3

目標時間 10分

解答は別冊の P.010-011

1 次の文の――線の言葉に合う読みを書きなさい。

(1) 福利厚生で九州へ旅行する。

(2) 全く痛くありません。

(3) 座談会が始まる。

(4) 遠足の日を指折り数える。

(5) 母の手料理は絶品だ。

(6) 皆《みな》の都合を合わせる。

(7) 第六感が働く。

(8) 後悔しても後の祭りだ。

2 次の文の――線の言葉に合う漢字を書きなさい。

(1) 包チョウで野菜を切る。

(2) 川にタイらな石を投げて遊ぶ。

(3) 北海道のリュウヒョウ。

(4) モウしこみ用紙に記入する。

(5) 大きな事件にゴウ外が出る。

(6) セダイをこえる昭和の名曲。

(7) おレイの気持ちを言葉で表す。

(8) リョウメンに印刷する。

(9) ジキ総理大臣と言われる。

(10) 少数民族のケンキュウをする。

(11) 父愛用の鉄製の道《どう》グバコ。

(12) 神社で手帳をヒロう。

(13) 先輩《せんぱい》にショウブを挑《いど》む。

(14) 朝から晩までベン強する。

(15) 風邪《かぜ》でサム気《け》がする。

(16) 事故をヨコ目に通り過ぎる。

(17) ケーキをビョウドウに分ける。

3 次の文の□に漢字を書き入れて、文を完成させなさい。

(1) □《かい》会□《しき》には、□《よ》□《そう》の□《ばい》以上の人が出席した。

(2) ダムの建設に何□《ど》も□《はん》□《たい》□《うん》□《どう》が□《お》こる。

(3) □《く》□《やく》□《しょ》までの長い□《さか》道を自□《てん》車で行く。

(4) □《おも》い□《に》□《もつ》の中□《み》は話□《だい》の□《ぎん》□《ざら》だった。

(5) 長年□《つか》えてきた□《くん》□《しゅ》が□《し》□《きょ》する。

(6) 書□《こ》にあった□《ゆう》名な□《し》集と□《どう》話を読む。

(7) □《みどり》が□《うつく》しい草原に□《ひつじ》が□《はな》される。

(8) 学□《きゅう》□《い》□《いん》の□《し》□《めい》を果たし□《はな》が高い。

(9) 多くの□《ぎょう》□《しゃ》が来る□《よう》□《ふく》の□《とん》□《や》街。

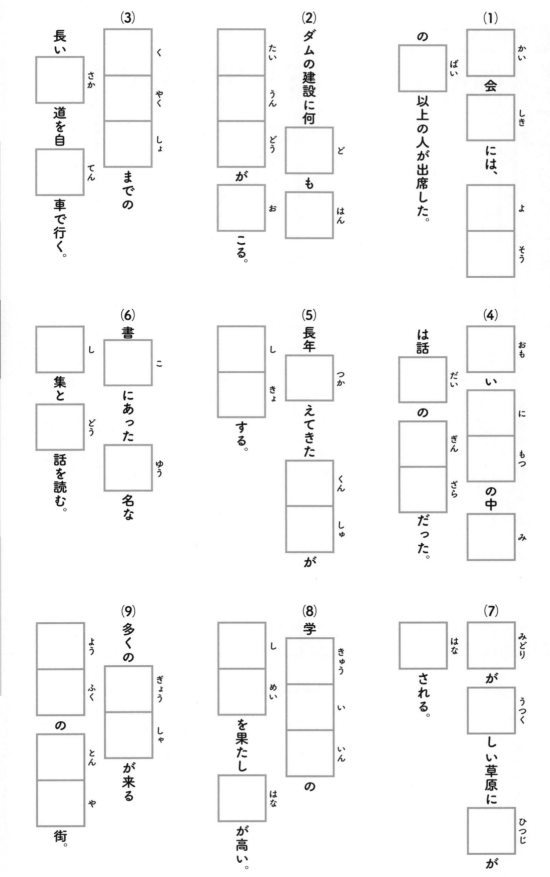

4年生の重要漢字①　読み

目標時間 3分

解答は別冊の P.011

復習ポイント

読み方を間違《まちが》えやすい漢字

漢字	音読み	訓読み	熟語
別	ベツ	わか（れる）	別格《べっかく》　別《わか》れ際《ぎわ》
省	セイ・ショウ	はぶ（く）・▲かえり（みる）	帰省《きせい》　外務省《がいむしょう》　行動を省《かえり》みる
関	カン	せき・かか（わる）	関節《かんせつ》　関所《せきしょ》　地域に関《かか》わる
試	シ	こころ（みる）・▲ため（す）	試練《しれん》　試作《しさく》　新たな試《こころ》み
治	ジ・チ	おさ（まる）・おさ（める）・なお（す）・なお（る）	退治《たいじ》　治安《ちあん》　病気が治《なお》る

1

次の文の――線の言葉に合う読みを、下のア～コから選び、記号で答えなさい。

(1) 写真を印刷する。
(2) 努力の成果が実る。
(3) 便利な時代。
(4) 和洋折衷《ちゅう》の料理。
(5) 兵士が帰還《きかん》する。
(6) 周囲を見渡《みわた》す。
(7) 変化を楽しむ。
(8) 国民の祝日。
(9) 書物を貸借する。
(10) 園芸に関連した本。

(1)□ (2)□ (3)□ (4)□ (5)□ (6)□ (7)□ (8)□ (9)□ (10)□

ア　しゅう
イ　しゃく
ウ　しゅく
エ　へい
オ　へん
カ　べんり
キ　せっ
ク　せいか
ケ　かんれん
コ　いんさつ

2 次の文の——線の言葉に合う読みを書きなさい。

(1) ご飯を加熱する。〔　　〕

(2) 付録つきの雑誌。〔　　〕

(3) 両親は共働きだ。〔　　〕

(4) 対戦相手に位負けする。〔　　〕

(5) 中学生の孫がいる。〔　　〕

(6) 議員選挙に出馬する。〔　　〕

(7) 天然記念物に指定された。〔　　〕

(8) 事態を静観する。〔　　〕

(9) 僧侶《そうりょ》が教えを説く。〔　　〕

3 次の文の——線の言葉に合う読みを、あとのア・イからそれぞれ選び、記号で答えなさい。

(1) お札を貼《は》る。
ア ふだ　イ さつ　〔　　〕

(2) 風邪《かぜ》が完治する。
ア かんじ　イ かんち　〔　　〕

(3) 初物の桃《もも》で季節を感じる。
ア はつ　イ しょ　〔　　〕

(4) 春になり新芽が顔を出す。
ア が　イ め　〔　　〕

(5) 漁業で栄えた町。
ア は　イ さか　〔　　〕

(6) 話を一部省略する。
ア しょう　イ せい　〔　　〕

(7) 清らかな心の持ち主。
ア きよ　イ ゆる　〔　　〕

(8) 類いまれなる才能の持ち主。
ア るい　イ たぐ　〔　　〕

中学校のさきどり　同じ部分を持つ漢字

漢字には2(8)と3(7)の「青」のように、同じ部分を持つ漢字が多くあります。「同じ部分を持つ漢字は、共通する意味や読みを持つことが多い」ことを覚えておくと、中学生になっても漢字を覚えるヒントとなってくれるでしょう。

例　「青」の部分を持つ漢字

・「青」の持つ意味→「すみきっている様子」
・「青」の持つ読み→「セイ」

小学校で習う漢字　…　晴・清・静・精・情（「セイ」という読みは、高校で習います。）

中学校で習う漢字　…　請

4年生の重要漢字① 書き順

目標時間 3分

解答は別冊の P.011

復習ポイント
書き間《ま》違《ちが》えやすい漢字

必 兆 希 臣 芽

はねる
一画目
三画目
つき出ない

果 城 料 候 帯

一画で
忘れずに
忘れずに
書き順注意

挙 械 達 機 類

横棒の数に注意
忘れずに

1 次の文の――線の言葉に合う漢字を書きなさい。

(1) 新しい仲間がクワわる。

(2) シッパイを恐《おそ》れない。

(3) 意外なケツマツを迎《むか》える。

(4) 上司の命レイに従う。

(5) オいては子に従え。

(6) 夕方、道路のガイトウがともる。

(7) 六時に帰るとヤクソクする。

(8) 国語ジテンで調べる。

(9) 俳句にキ語を入れる。

(10) 赤ん坊《ぼう》が大声でナいている。

(11) ユウ気ある行動にエールを送る。

(12) 優勝した彼《かれ》のエイ光をたたえる。

(13) 子《し》ソン繁栄《はんえい》を願う。

(14) 入り口のアン内掲《けい》示《じ》板を見る。

(15) 植物は酸素を供キュウしてくれる。

(16) 桜の花がはかなくチる。

(17) 海で遊んで日ヤけする。

(18) アイ情をこめてペットを育てる。

(19) キュウリのカンサツ日記。

中学校のさきどり 対義語

対義語とは「反対や対《つい》の意味を持った言葉」のことです。小学校でも覚えるべき対義語はたくさんありますが、中学生になるとさらに増えます。例えば 1 (15)の「供給」の対義語は、中学校で習う熟語です。

例

需要《じゅよう》（物を求めること）
⇔
供給（物を与《あた》えること）

4年生の重要漢字①　書き①

目標時間 5分

解答は別冊の P.011－P.012

復習ポイント

書き間違《まちが》えやすい漢字・語句

器官
「官」は「宮」や「管」と書かないように注意。同音異義語にも注意。

未完
「未」は一画目より二画目を長く書く。「末」と書き間違えないように注意。

末席
「末」は二画目より一画目を長く。「席」の四～七画目「廿」を「甘」としない。

標札
似ている漢字「票」「礼」に注意する。「標」の「覀」を「西」としないこと。

健康
「健」は「イ（にんべん）」を忘れない。「康」は八、九画目を「フ」としない。

1 次の文の――線の言葉に合う漢字を書きなさい。

(1) 病気の母にツき添《そ》う。（　　）

(2) 亀《かめ》の甲《こう》より年のコウ。（　　）

(3) 先に解くキョウソウをする。（　　）

(4) 旅行の日をアラタめる。（　　）

(5) キボウに満ちた学生生活。（　　）

(6) 野球への熱がサめる。（　　）

(7) 夕食のザイリョウを買う。（　　）

(8) アサガオの種が発ガする。（　　）

(9) 郵ビン物が届く。（　　）

(10) 駅までト歩《ほ》で向かう。（　　）

(11) 勝利に向けてトックンする。（　　）

(12) ドルはアメリカの通《つう》カだ。（　　）

(13) にわとりが卵をウむ。（　　）

(14) 山サイ採りに出かける。（　　）

(15) 朝早く目がサめる。（　　）

2 次の文の――線の言葉に合う漢字を書きなさい。

(1) アンケート用紙にシ名を記入する。（　　）

(2) 夏休みイ降《こう》の予定を立てる。（　　）

(3) 病気のチョウコウを見逃《みのが》すまい。（　　）

(4) 彼女《かのじょ》の思いにキョウ感する。（　　）

(5) 規定のロウドウ時間を守る。（　　）

(6) ゲイ術の秋にコンサートを開く。（　　）

(7) キョウ調性が必須《ひっす》の作業。（　　）

(8) 新ソツの先生が僕《ぼく》たちの担任だ。（　　）

(9) タン刀直入にうかがう。（　　）

(10) サク年より身長が10センチ伸《の》びた。（　　）

(11) ヨク室で体を洗う。（　　）

(12) 西日がサしてまぶしい。（　　）

(13) 北海道グン部に住む祖父《そふ》を訪ねる。（　　）

(14) ガイ虫《ちゅう》を駆除《くじょ》する。（　　）

(15) 図書館で本をカりる。（　　）

(16) 車でリッ橋を渡《わた》る。（　　）

(17) クラス委員を投ヒョウで決める。（　　）

(18) 北キョクにすむ動物。（　　）

(19) 自衛タイに入る。（　　）

(20) 入学シケンに合格する。（　　）

(21) 僕と弟は対ショウ的な性格だ。（　　）

(22) 教育にカカわる仕事がしたい。（　　）

(23) 祝日に国キを掲《かか》げる。（　　）

(24) 高鳴る気持ちをシズめる。（　　）

(25) 港町に住む叔父《おじ》はリョウ師だ。（　　）

(26) 細いクダに水を通す。（　　）

(27) 日本の人口は約一オク二千万人だ。（　　）

(28) 難しいカ題をこなす。（　　）

(29) 激しいギ論を重ねる。（　　）

4年生の重要漢字①　書き②

目標時間 5分

解答は別冊の P.012

復習ポイント 書き間違《まちが》えやすい漢字・語句

各種
「各」は一・二画目の長さに注意。「種」は「禾（のぎへん）」。「木（きへん）」にしない。

底辺
「底」は同音異字の「低」としないこと。八画目の「一」を忘れない。

博愛
「博」は「、」を忘れない。「愛」の二〜四画目は「⺍」。

省察
「省」の「目」を「日」としないこと。「察」を「祭」としないこと。

副官
「副」は「福」、「官」は「宮」「管」など、似ている漢字に注意する。

1 次の文の——線の言葉に合う漢字を書きなさい。

(1) 熱で学校をケッセキする。（　　）

(2) ブ気味な笑い声。（　　）

(3) マラソン大会にサンカする。（　　）

(4) デンセツが語り継《つ》がれる。（　　）

(5) 大学でジ童文学を学ぶ。（　　）

(6) 割引券をリ用する。（　　）

(7) 芝生《しばふ》にテントをコ定する。（　　）

(8) 神社にある立派なマツの木。（　　）

(9) タトえば果物で考えてみる。（　　）

(10) 羊を放ボクする。（　　）

(11) 何年も音シン不通の兄。（　　）

(12) 戦国時代の将グン。（　　）

(13) アサはかな考えはやめよう。（　　）

(14) 薬を飲んで小コウ状態を保つ。（　　）

(15) 心に残る風《ふう》ケイ。（　　）

2 次の文の——線の言葉に合う漢字を書きなさい。

(1) 少数ミン族の暮らしを学ぶ。

(2) ツツみ隠《かく》さず打ち明ける。

(3) 岸《きし》べに打ち寄せる波。

(4) 辛《から》いものをコノんで食べる。

(5) 祖父母とのワカれをおしむ。

(6) 大阪フ知事が会見を行う。

(7) 解決ホウを考える。

(8) 円の半ケイを求める。

(9) ネンガンの一人部屋を手に入れる。

(10) 週末の予定をカえる。

(11) ツバメのひながス立つ。

(12) キカイ体操部に入る。

(13) 善良な心と強ケンな身体をもつ。

(14) 傲慢《ごうまん》な態度にも平ゼンとふるまう。

(15) 兄がブ事《じ》に帰り安心する。

(16) お腹《なか》いっぱい食べてマン足《ぞく》する。

(17) 三度のメシより本が好きだ。

(18) 英会話が上タツする。

(19) 動物と触《ふ》れ合うキ会がない。

中学校のさきどり 漢字の成り立ち①

漢字は元々、絵や記号が始まりだったといわれています。「象形文字（ある物を絵で表したもの）」は、その一つです。漢字のルーツを知ると当時の人の思いが伝わってくるようで、漢字をより身近に感じることができるでしょう。

象形文字の例

4年生の重要漢字①　書き③

目標時間 5分

解答は別冊の P.012

復習ポイント　書き間違《まちが》えやすい漢字・語句

量る
似ている漢字「重」としないこと。同訓異字「測る」「計る」にも注意。

鏡
似ている漢字「境」としないこと。右側の「日」を「ロ」にしないこと。

積極
「積」は似ている漢字「績」に注意。「極」は六画目の形に注意。

競争
「競」の左右の形が違うことに注意。同音異義語「競走」と間違えないこと。

議案
「議」は似ている漢字「義」「護」などに注意。「案」は「木」を忘れないこと。

---

1 次の文の――線の言葉に合う漢字を書きなさい。

(1) 手づくりパンがコウ評だ。（　　）
(2) ナカヨしの友達と出かける。（　　）
(3) ヘイ役《えき》制度のある国。（　　）
(4) けんかではいつも兄がオれる。（　　）
(5) テイ気圧の影響《えいきょう》で雪が降る。（　　）
(6) 成績ジュンイが発表される。（　　）
(7) 君主に忠実な家《か》シン。（　　）
(8) 何事もサイショが肝心《かんじん》だ。（　　）
(9) 東京までヒ行機で行く。（　　）
(10) 西洋風の家をタてる。（　　）
(11) ジョウ下町の街並みが残る。（　　）
(12) 胸《むな》グラをつかまれる。（　　）
(13) ワラい声の絶えない家庭。（　　）
(14) 父には涙《なみだ》もろいソク面がある。（　　）
(15) 部屋をセイ潔に保つ。（　　）

2 次の文の――線の言葉に合う漢字を書きなさい。

(1) 大統領フ人がテレビに映る。（　　）

(2) ミ開の地に足を踏《ふ》み入れる。（　　）

(3) 帰宅したらカナラず手を洗おう。（　　）

(4) 洗濯《せんたく》したイルイをたたむ。（　　）

(5) 分からない問題にシルシをつける。（　　）

(6) 問題解決にツトめる。（　　）

(7) 予感がテキ中する。（　　）

(8) ハてしなく続く道。（　　）

(9) 各地への移動のカナメとなる東京駅。（　　）

(10) 犬をツれて散歩する。（　　）

(11) 自家製のウメ酒を漬《つ》ける。（　　）

(12) 合ショウコンクールで優勝する。（　　）

(13) 豊《ほう》フな資源を求める。（　　）

(14) 君の目はフシ穴か。（　　）

(15) 勝つためのセン略を練る。（　　）

(16) 入会の手ツヅきを済ませる。（　　）

(17) 小さじ一杯《いっぱい》のシオを入れる。（　　）

(18) 飼い犬に首ワをつける。（　　）

(19) 仕事を休んで休ヨウする。（　　）

中学校のさきどり

漢字の成り立ち②

漢字の成り立ちの一つに、「指事文字」があります。指事文字は、「一」や「上」のように形のない事柄《ことがら》を点や線で表したものです。

中学校では、「象形文字」「指事文字」の他に、「会意文字」「形声文字」「転注文字」「仮借《かしゃ》文字」を合わせた「六書《りくしょ》」を習います。

例
会意文字…森・美など
形声文字…案・貨など
転注文字…楽など
仮借文字…亜米利加《あめりか》など

テスト 4

目標時間 10分

解答は別冊の P.012－013

1 次の文の――線の言葉に合う読みを書きなさい。

(1) 祖父の法事に氏族が集まる。（　　）
(2) 白衣に着がえる。（　　）
(3) 立派な警察官になりたい。（　　）
(4) 自然豊かな和歌山県の郡部。（　　）
(5) 穏《おだ》やかな気候に恵《めぐ》まれる。（　　）
(6) 一代で巨万《きょまん》の富を築く。（　　）
(7) 博愛精神を示す。（　　）
(8) 全国各地の天気予報。（　　）

2 次の文の――線の言葉に合う漢字を書きなさい。

(1) 地震《じしん》の前《ぜん》チョウの現象。（　　）
(2) 皆《みな》でキョウ力して募金《ぼきん》する。（　　）
(3) 誰《だれ》にもナき顔を見せたくない。（　　）
(4) すり傷がナオる。（　　）
(5) 直ケイ1センチ程《ほど》の穴。（　　）
(6) 自立心がメ生《ば》える。（　　）
(7) 風船が風にトばされる。（　　）
(8) グン手をはめて草をとる。（　　）
(9) サク夜《や》の出来事を記録する。（　　）
(10) 盲導《もうどう》犬になるためのクン練。（　　）
(11) 名アンを思い付く。（　　）
(12) 友人の一言に気分をガイする。（　　）
(13) 過去をセイ算する。（　　）
(14) 目の前に絶《ぜっ》ケイが広がる。（　　）
(15) 科学にカン心がある。（　　）
(16) 朝食前の散歩は父の日《にっ》カだ。（　　）
(17) 三角形のテイヘン。（　　）

3 次の文の□に漢字を書き入れて、文を完成させなさい。

(1) 月の□《み》ち□《か》けを□《ぼう》遠□《きょう》で□《かん》測する。

(2) □《し》□《ほう》□《し》□《けん》に合格する。

(3) 政□《ふ》から□《とく》□《べつ》□《きゅう》□《ふ》金が出される。

(4) □《でん》統□《てき》な□《みん》□《げい》品や可愛《かわい》い雑□《か》を売る店。

(5) □《そつ》業生に□《しゅく》□《じ》を述べる。

(6) □《き》□《せつ》の□《か》わり目は気温の□《さ》が激しい。

(7) 弟が□《ぎょ》□《ふ》の□《り》を得て、ケーキを食べた。

(8) 素□《ざい》を生かし□《しお》を□《くわ》えただけの□《りょう》理だ。

(9) □《せん》□《きょ》に向けて□《がい》頭演□《ぜつ》をする。

4年生の重要漢字② 読み

目標時間 3分

解答は別冊の P.013

復習ポイント

読み方を間違《まちが》えやすい漢字

冷
音読み　レイ
訓読み　つめ（たい）・ひ（える）・ひ（や）・ひ（やす）・ひ（やかす）・さ（める）
熟語　冷戦《れいせん》　底冷《び》え　冷《ひ》やかし

好
音読み　コウ
訓読み　この（む）・す（く）
熟語　絶好調《ぜっこうちょう》　大好《だいす》き

辺
音読み　ヘン
訓読み　あた（り）・べ
熟語　周辺《しゅうへん》　水辺《みずべ》

群
音読み　グン
訓読み　む（れる）・む（れ）・むら
熟語　大群《たいぐん》　鳥《とり》の群《む》れ　群《むら》がる

勇
音読み　ユウ
訓読み　いさ（む）
熟語　勇姿《ゆうし》　勇《いさ》み足《あし》

1 次の文の――線の言葉に合う読みを、下のア〜コから選び、記号で答えなさい。

(1) 分厚い札束に驚《おどろ》く。　□
(2) 子犬を見失う。　□
(3) 腕《うで》に包帯を巻く。　□
(4) 無駄《むだ》な争いはやめよう。　□
(5) 品種改良を重ねる。　□
(6) 無理な要求に困惑《こんわく》する。　□
(7) 差別のない社会。　□
(8) 残飯を減らす試み。　□
(9) 菜種油を使う。　□
(10) 五人家族を養う。　□

ア　あらそ
イ　さつたば
ウ　さべつ
エ　ざんぱん
オ　かいりょう
カ　ようきゅう
キ　なたね
ク　ほうたい
ケ　うしな
コ　やしな

2 次の文の――線の言葉に合う読みを書きなさい。

(1) 不覚にも寝坊《ねぼう》してしまった。（　　　）

(2) 礼儀《れいぎ》を欠いた対応が目に余る。（　　　）

(3) ホームルームの司会を務める。（　　　）

(4) お盆《ぼん》に墓参りをする。（　　　）

(5) ビルの建設工事が進む。（　　　）

(6) 塩害によってさびた鉄柵《てっさく》。（　　　）

(7) 信濃《しなの》川は日本で最も長い川です。（　　　）

(8) 隣国《りんごく》と条約を結ぶ。（　　　）

(9) 街角で友達と会う。（　　　）

3 次の文の――線の言葉に合う読みを、あとのア・イからそれぞれ選び、記号で答えなさい。

(1) 三人兄弟の末っ子。
ア すえ　イ まつ　〔　　〕

(2) 決意を固める。
ア き　イ かた　〔　　〕

(3) 的を射た発言。
ア まと　イ てき　〔　　〕

(4) 縁起《えんぎ》物の松竹《ちくばい》梅を飾《かざ》る。
ア しょう　イ まつ　〔　　〕

(5) 荷物を倉庫にしまう。
ア そう　イ くら　〔　　〕

(6) 管楽器を吹《ふ》く。
ア くだ　イ かん　〔　　〕

(7) チームの旗印をかかげる。
ア はた　イ き　〔　　〕

(8) 競輪選手になりたい。
ア けいりん　イ きょうりん　〔　　〕

中学校のさきどり　二つ以上の音や訓を持つ漢字

漢字には複数の音読みや訓読みを持つ漢字があります。ポイントにある「冷」は多くの訓読みを持つ漢字で、前後の文章に合わせて読み方を考えなければいけません。小学校で習う漢字の新しい読みを中学校以上で習うこともあります。

例
・競……小学校で習う読み「競争《きょうそう》」「競馬《けいば》」
中学・高校で習う読み「競《きそ》う」「競《せ》る」
・笑……小学校で習う読み「笑《わら》う」
中学校で習う読み「微笑《びしょう》」「笑《え》む」

4年生の重要漢字②　書き①

目標時間 5分

解答は別冊の P.013

復習ポイント

書き間違《まちが》えやすい漢字・語句

卒業
「卒」を「率」と書き間違えないように注意。「十」の縦棒を長く書きすぎないこと。

伝票
「票」の「覀」を「西」としないこと。

飛散
「飛」の書き順に注意。二、三画目、八、九画目の点の向きに注意。六画目ははらう。

側
似ている漢字「則」「測」に注意。

群衆
「群」を「郡」と書き間違えないこと。二画目はつき出るが十三画目はつき出ない。

---

1 次の文の――線の言葉に合う漢字を書きなさい。

(1) 姉にはオットがいる。（　　）

(2) ヒッ死に勉強する。（　　）

(3) 国ミンから支持される大臣。（　　）

(4) 二十歳《はたち》ミマンは飲酒禁止だ。（　　）

(5) 努力がトロウに終わる。（　　）

(6) 声をヒクめて話す。（　　）

(7) 歴代の総理大ジンを覚える。（　　）

(8) 社長の補サ役として働く。（　　）

(9) ネズミを退ジする。（　　）

(10) かつて国を統治した江戸幕《えどばく》フ。（　　）

(11) バイ雨《う》前線の影響《えいきょう》で雨が続く。（　　）

(12) 白い斑点《はんてん》があるシカの子ども。（　　）

(13) 空きスに入られる。（　　）

(14) 美しい自然は国の財サンだ。（　　）

(15) 恐竜《きょうりゅう》のハク物館へ行く。（　　）

2 次の文の――線の言葉に合う漢字を書きなさい。

(1) 玄関《げんかん》に表サツをかける。（　　　）

(2) 自然のナり行きに任せる。（　　　）

(3) ハジめて海外に行く。（　　　）

(4) 世界カッ国から観光客が訪《おとず》れる。（　　　）

(5) ド力《りょく》家《か》の兄を尊敬している。（　　　）

(6) レイセイな判断を求める。（　　　）

(7) 大事な局面でソコ力《ぢから》を発揮する。（　　　）

(8) 古テン文学にいそしむ。（　　　）

(9) 池のマワりを走る。（　　　）

(10) 体には多数のキカンが働いている。（　　　）

(11) ボク場《じょう》で牛と馬を飼う。（　　　）

(12) 今年の夏はレイ年より暑い。（　　　）

(13) 妹の誕生日をイワう。（　　　）

(14) 知人の消息を風のタヨりに聞く。（　　　）

(15) 入場行進でイサましい姿を見せる。（　　　）

(16) 余計な説明をハブく。（　　　）

(17) 結婚《けっこん》式をアげる。（　　　）

(18) 太陽の光をアびる。（　　　）

(19) 公園のごみをノコらず拾い集める。（　　　）

(20) 新しい家が軒《のき》をツラねる住宅街。（　　　）

(21) 台風が本州に上リクする。（　　　）

(22) 薬のフク作用が起きる。（　　　）

(23) 弟のノゾみを叶《かな》える。（　　　）

(24) テレビの音リョウを下げる。（　　　）

(25) プレゼントを買うお金がナい。（　　　）

(26) 親戚《しんせき》一同にほめられてテれる。（　　　）

(27) テーブルの上に荷物をオく。（　　　）

(28) 校則について意見をタタカわせる。（　　　）

(29) 電気コードを接ゾクする。（　　　）

4年生の重要漢字②　書き②

目標時間 5分

解答は別冊の P.013－P.014

復習ポイント　書き間違《まちが》えやすい漢字・語句

焼く　右の形に注意。書き順通り一画ずつ丁寧《ていねい》に書くよう心がける。

寒冷　「冷」の「冫（にすい）」を「氵（さんずい）」としないこと。「令」の書き方にも注意。

兵隊　「兵」は三、四画目を続けて書かない。「隊」は右側の形に注意。

単位　「単」は「⺌（つかんむり）」。九画目は上につき出ない。

徒労　「徒」は似ている漢字「従」と書かないこと。「労」の部首は「力（ちから）」。

1　次の文の――線の言葉に合う漢字を書きなさい。

(1) アタリを見渡《みわた》す。（　　　）

(2) 怪我《けが》のコウ名。（　　　）

(3) 集合時間をツタえる。（　　　）

(4) 敬ロウの日を祝う。（　　　）

(5) 食器棚《しょっきだな》のイチを変える。（　　　）

(6) ハーフマラソンをカン走する。（　　　）

(7) 一国をオサめる王様。（　　　）

(8) 祖父は今年ソツ寿《じゅ》を迎《むか》える。（　　　）

(9) 年賀状を百枚スる。（　　　）

(10) 彼《かれ》の母国語はエイ語だ。（　　　）

(11) 鳥が空高くトんでいる。（　　　）

(12) 電気代をセツヤクする。（　　　）

(13) 討論すべきギアンが挙がる。（　　　）

(14) 空が赤みをオび始める夕方。（　　　）

(15) 部屋に物がサン乱している。（　　　）

2 次の文の――線の言葉に合う漢字を書きなさい。

(1) 避難勧告《ひなんかんこく》が発レイされる。（　　）

(2) 二人のナカを取り持つ。（　　）

(3) トウ台下《もと》暗し。（　　）

(4) またとないコウキが訪《おとず》れる。（　　）

(5) 手助けをモトめる。（　　）

(6) 祖母は礼儀作《れいぎさ》ホウにうるさい。（　　）

(7) 梅の花がほのかにカオる。（　　）

(8) 運動会で赤組にヤブれる。（　　）

(9) 僧侶《そうりょ》がお経《きょう》をトナえる。（　　）

(10) 体重をハカる。（　　）

(11) 店先に大勢の人がムラがる。（　　）

(12) アツいお茶を飲む。（　　）

(13) 太陽まで約一オク五千万キロあるらしい。（　　）

(14) 道路ヒョウ識に従う。（　　）

(15) 好きな本を一冊エラぶ。（　　）

(16) 静岡県にめずらしく雪がツもる。（　　）

(17) 50メートル走で新記ロクを達成する。（　　）

(18) ネがい事が成就《じょうじゅ》する。（　　）

(19) 天体望遠キョウで月を見る。（　　）

中学校のさきどり

楷書《かいしょ》と行書

文字の書き方の種類のことを「書体」といいますが、漢字にはいくつかの書体があります。中学校までに習うのは「楷書」と「行書」です。それぞれの書体を、目的や相手によってうまく使い分けましょう。

書体の例

楷書 人気のある店

行書 人気のある店

4年生の重要漢字②　都道府県①

目標時間 5分

解答は別冊の P.014

4年生では、都道府県名に使用される漢字を学びます。難しい漢字もありますが、しっかり書けるようにしておきましょう。

復習ポイント

書き順が難しい都道府県名に使われる漢字

阪　阜　茨　栃　媛

茨：字形に注意

栃：左下にはらう

媛：つき出ない

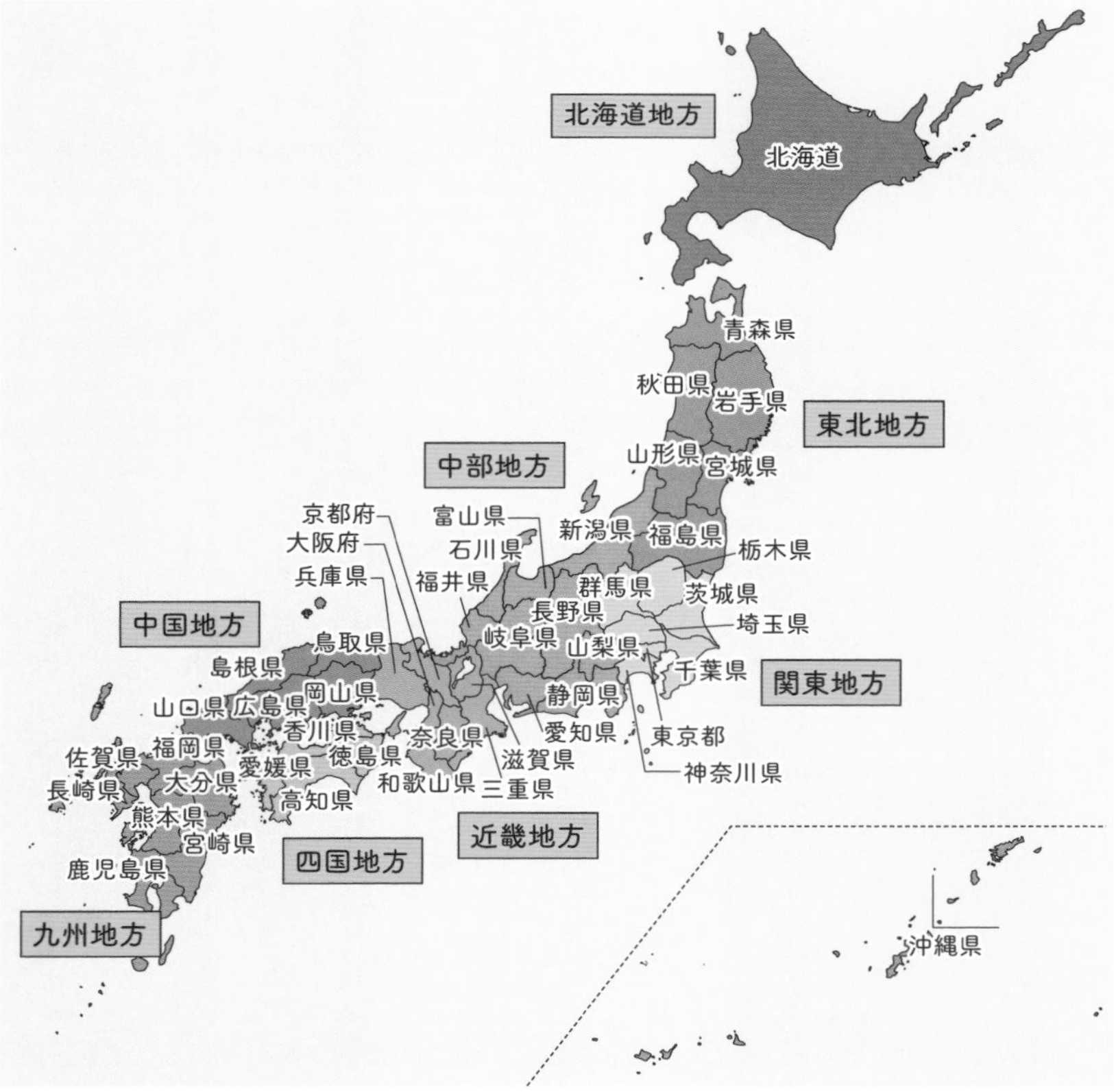

日本の地方区分・都道府県

1 次の文の――線に合う都道府県名を漢字で書きなさい。

(1) ホッカイ道は最も北にある都道府県だ。（　　）

(2) りんごが名産のアオモリ県。（　　）

(3) リアス式海岸で漁業がさかんなイワテ県。（　　）

(4) ミヤギ県の仙台《せんだい》市は東北の中心地だ。（　　）

(5) アキタ県は日本の米所だ。（　　）

(6) さくらんぼが名産のヤマガタ県。（　　）

(7) 赤べこはフクシマ県の郷土玩具《がんぐ》だ。（　　）

(8) イバラキ県には霞《かすみ》ケ《が》浦《うら》がある。（　　）

(9) トチギ県にある日光東照宮《にっこうとうしょうぐう》。（　　）

(10) グンマ県の県庁所在地は前橋市だ。（　　）

(11) 近郊《きんこう》農業がさかんなサイタマ県。（　　）

(12) 房総《ぼうそう》半島のあるチバ県。（　　）

(13) 日本の中心であるトウキョウ都。（　　）

(14) かつて相模国《さがみのくに》と呼ばれたカナガワ県。（　　）

(15) ニイガタ県は米づくりがさかんだ。（　　）

(16) トヤマ県には大きな黒部《くろべ》ダムがある。（　　）

(17) 能《の》登《と》半島があるイシカワ県。（　　）

(18) リアス式海岸が続くフクイ県。（　　）

(19) ヤマナシ県はぶどうやももの産地だ。（　　）

(20) 日本アルプスがそびえるナガノ県。（　　）

(21) ギフ県にある白川郷《しらかわごう》。（　　）

(22) お茶の栽培《さいばい》がさかんなシズオカ県。（　　）

(23) 自動車工業がさかんなアイチ県。（　　）

(24) ミエ県の伊《い》勢《せ》神宮《じんぐう》。（　　）

(25) 日本最大の湖・琵《び》琶《わ》湖《こ》があるシガ県。（　　）

(26) 文化財が多く残るキョウト府。（　　）

(27) 日本第二の都市をほこるオオサカ府。（　　）

(28) ヒョウゴ県には淡《あわ》路《じ》島《しま》がある。（　　）

(29) 東大寺などの寺社が多いナラ県。（　　）

４年生の重要漢字②　都道府県②

潟	縄	滋	梨	岡

潟　潟
潟　潟
潟　潟
潟　潟　字形に注意
潟　潟
潟　潟
潟　潟
　　潟

縄　縄
縄　縄
縄　縄
縄　縄
縄　縄
縄　縄
縄　縄　つき出ない

滋　滋
滋　滋
滋　滋
滋　滋
滋
滋
滋
滋

梨　梨
梨　梨
梨　梨
　　梨
　　梨
　　梨
　　梨

岡　岡
　　岡
　　岡
　　岡
　　岡
　　岡
　　岡

復習ポイント

書き順が難しい都道府県名に使われる漢字

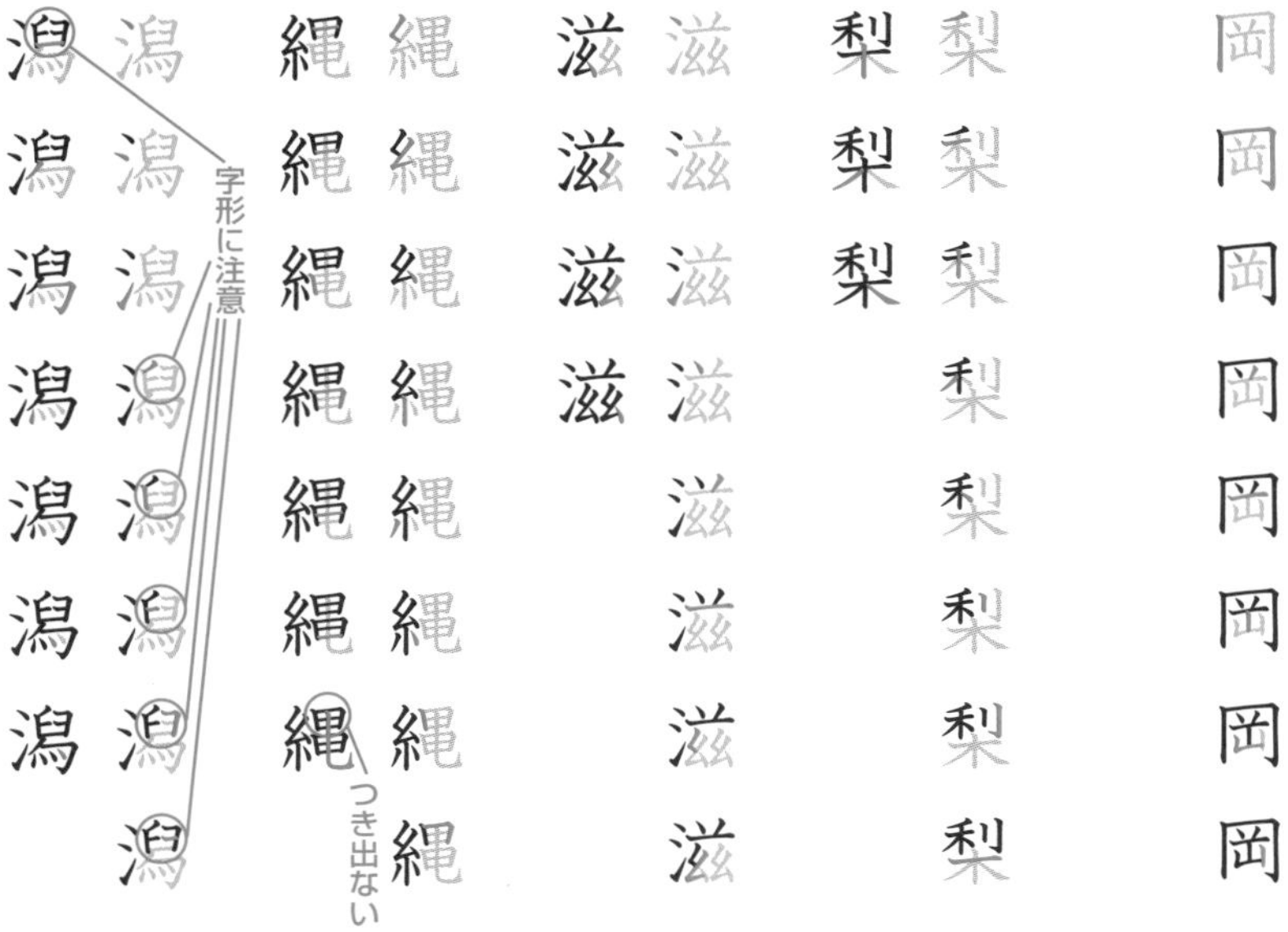

1 次の地図の(1)〜(12)が示す都道府県名を漢字で書きなさい。

（地図）
(3)県
(5)県
(9)県
(8)県
(11)県
(1)県
(2)県
(4)県
(6)県
(10)県　(7)府
(12)県

(12)　(11)　(10)　(9)　(8)　(7)　(6)　(5)　(4)　(3)　(2)　(1)

目標時間
5分

解答は別冊の
P.014

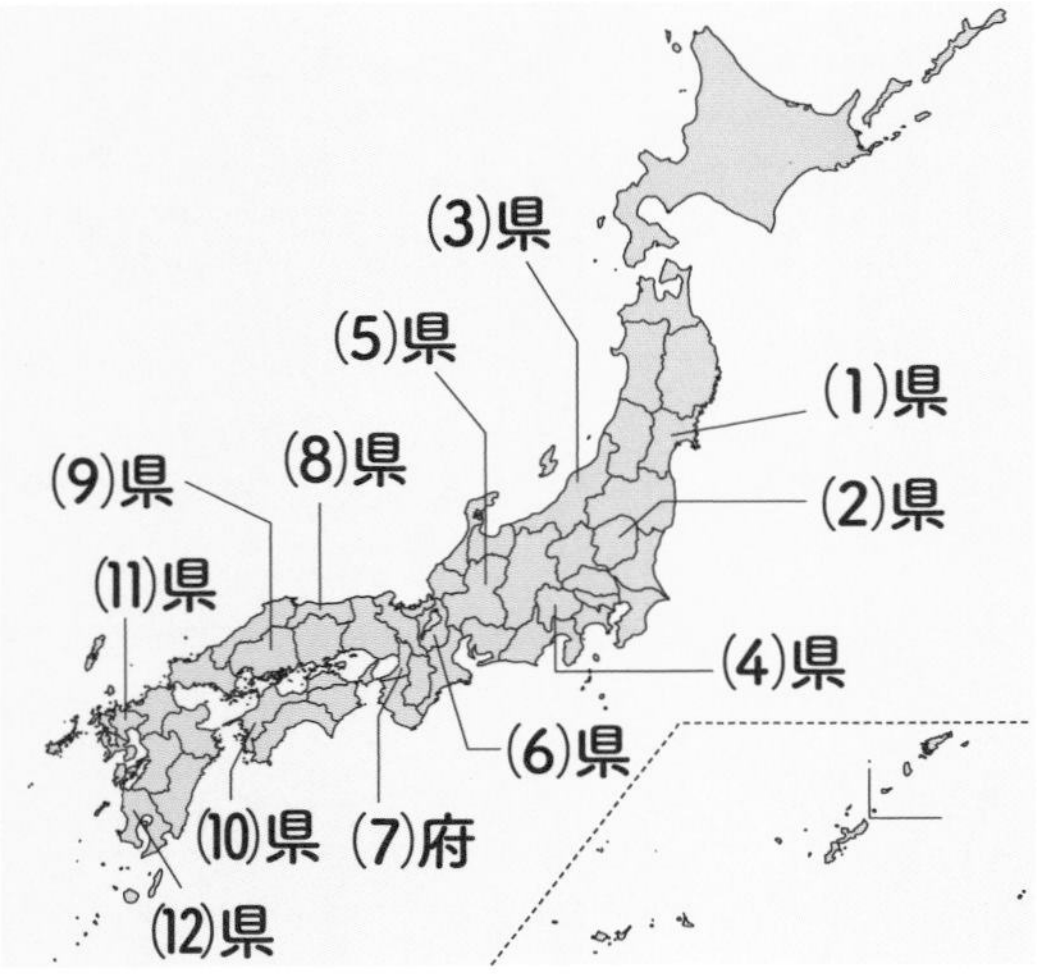

2 次の文の――線に合う都道府県名を漢字で書きなさい。

(1) ワカヤマ県はみかんや梅の産地だ。

(2) 大きな砂丘《さきゅう》があるトットリ県。

(3) 石見《いわみ》銀山が有名なシマネ県。

(4) きびだんごが有名なオカヤマ県。

(5) ヒロシマ県の原爆《げんばく》ドームを訪《おとず》れる。

(6) 本州の最西端《さいせいたん》のヤマグチ県。

(7) 阿波《あわ》おどりが有名なトクシマ県。

(8) 面積が日本一小さいカガワ県。

(9) エヒメ県は伊予国《いよのくに》と呼ばれた。

(10) コウチ県には清流の四万十川《しまんとがわ》が流れる。

(11) フクオカ県にあった八幡《やはた》製鉄所。

(12) 伊万里焼《いまりやき》と有田焼《ありたやき》が有名なサガ県。

(13) 外国との窓口だったナガサキ県。

(14) クマモト県にある阿蘇山《あそさん》。

(15) 別府《べっぷ》温泉のあるオオイタ県。

(16) 促成栽培《そくせいさいばい》がさかんなミヤザキ県。

(17) 畜産《ちくさん》業がさかんなカゴシマ県。

(18) 色鮮《いろあざ》やかな海があるオキナワ県。

中学校のさきどり　都道府県と地理

中学生になると都道府県は「地理」で学習します。小学生で習った基本的な内容に加え、より詳《くわ》しい地形や人口、産業などを学び、さらには世界にまで目を向けて学習します。中学校の学習をスムーズに進めるには、小学校の内容をしっかり理解しておくことが大切です。都道府県名だけでなく、問題文に出てくる各県の特徴《とくちょう》も一緒に覚えるように心がけましょう。

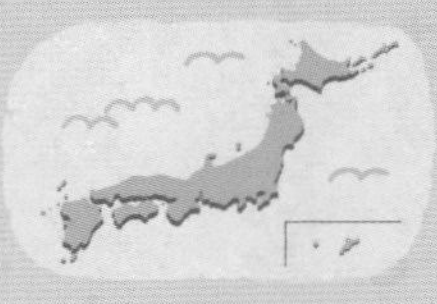

テスト 5

目標時間 10分

解答は別冊のP.014-015

1 次の文の――線の言葉に合う読みを書きなさい。

(1) 人生の岐路に立つ。（　　）

(2) 江《え》戸《ど》幕《ばく》府《ふ》に味方した佐幕派。（　　）

(3) 栃の木が自生する山。（　　）

(4) あえて茨の道を選ぶ。（　　）

(5) 秋は梨が旬《しゅん》でおいしい。（　　）

(6) 埼玉県の有名なせんべい。（　　）

(7) 課題をこなすのが関の山だ。（　　）

(8) 手鏡を持つ女性。（　　）

2 次の文の――線の言葉に合う漢字を書きなさい。

(1) イ戸水をくむ。（　　）

(2) ピーマンイ外《がい》は食べられる。（　　）

(3) ヒえたジュースがおいしい。（　　）

(4) 大《おお》サカ～岐阜間を往復する。（　　）

(5) 穀類の品《ひん》シュカイリョウ。（　　）

(6) 給食好きのジ童は多い。（　　）

(7) 古キのお祝いを企画《きかく》する。（　　）

(8) シンネンをつらぬく。（　　）

(9) 花のいいカオりがする。（　　）

(10) クラスのセキジュンを決める。（　　）

(11) オビに短したすきに長し。（　　）

(12) ワラい声に包まれる。（　　）

(13) 長サキ県でカステラを食べる。（　　）

(14) 人の名前をオボえる。（　　）

(15) 健康カン理は万全《ばんぜん》だ。（　　）

(16) 干《ひ》ガタで潮干狩《が》りを楽しむ。（　　）

(17) メートルは長さのタンイだ。（　　）

3 次の文の□に漢字を書き入れて、文章を完成させなさい。

(1) 長い□《とっ》□《くん》と□《ど》力《りょく》の□《すえ》、□《えい》語をそつなく話す。

(2) ようやく目□《ひょう》を□《な》しとげる。

(3) □《かた》い□《けっ》□《そく》力で□《とも》に□《たたか》う。

(4) □《はじ》めての優勝□《き》を手に入れる。

(5) □《な》□《ら》公園で□《しか》の□《む》れを見る。

(6) 夕□《や》けに□《て》らされた□《きよ》らかな海。

(7) 海外のリゾート地で□《せい》□《よう》する。

(8) □《せっ》□《きょく》□《てき》に奉仕《ほうし》活動を行う自《じ》□《ち》会。

(9) チームの□《かなめ》となるにはまだ経□《けん》が□《あさ》い。

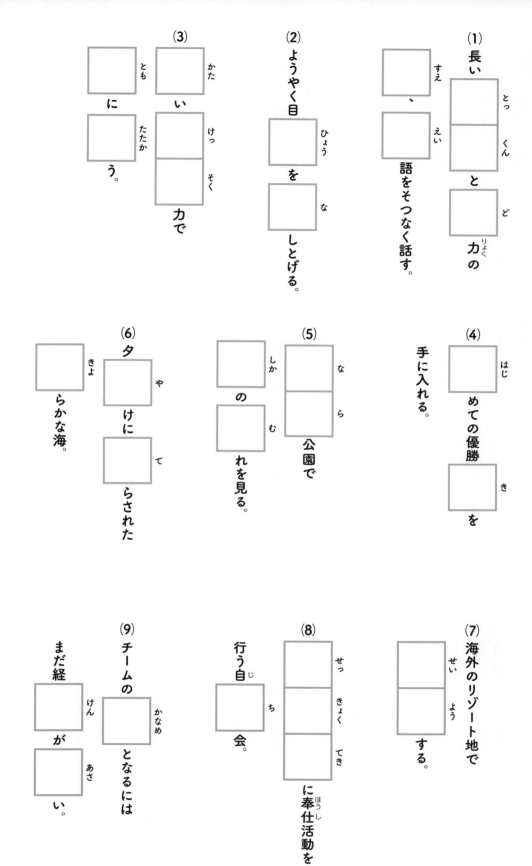

5年生の重要漢字　読み

目標時間 3分

解答は別冊の P.015

復習ポイント

読み方を間違《まちが》えやすい漢字

再
音読み　サイ・サ
訓読み　ふたた（び）
熟語　再版《さいはん》　再来年《さらいねん》　再《ふたた》び始《はじ》める

増
音読み　ゾウ
訓読み　ま（す）・ふ（える）・ふ（やす）
熟語　増減《ぞうげん》　増加《ぞうか》　痛《いた》みが増《ま》す

粉
音読み　フン
訓読み　こ・こな
熟語　粉末《ふんまつ》　黄《き》な粉《こ》　粉雪《こなゆき》

織
音読み　シキ・▲ショク
訓読み　お（る）
熟語　組織《そしき》　織《お》り目《め》

混
音読み　コン
訓読み　ま（じる）・ま（ぜる）・ま（ざる）・こ（む）
熟語　混在《こんざい》　人混《ひとご》み　混《ま》じり気《け》

1 次の文の——線の言葉に合う読みを、下のア〜コから選び、記号で答えなさい。

(1) 敵軍を制圧する。
(2) 末永いお付き合い。
(3) 入室を許可する。
(4) 好きな雑誌が復刊する。
(5) 敗因について話し合う。
(6) 応接間に案内する。
(7) 中国の大きな河。
(8) 母と同じ血液型だ。
(9) するどい眼光。
(10) 太くて立派な木の幹。

ア　なが
イ　かわ
ウ　いん
エ　みき
オ　がん
カ　きょか
キ　ふっかん
ク　えきがた
ケ　おうせつ
コ　せいあつ

2 次の文の――線の言葉に合う読みを書きなさい。

(1) 旧正月を祝う国。（　　）

(2) 技術を習得するのは易しくない。（　　）

(3) 本の価格を調べる。（　　）

(4) 教育設備を整える。（　　）

(5) 店舗《てんぽ》を移転させる。（　　）

(6) 成功する確率は極《きわ》めて高い。（　　）

(7) 小さな食堂を営む。（　　）

(8) 快適な一日を過ごす。（　　）

(9) 待ちに待ったカニ漁の解禁日。（　　）

3 次の文の――線の言葉に合う読みを、あとのア・イからそれぞれ選び、記号で答えなさい。

(1) 布地を裁《た》つ。
ア ぬの　イ ふ　〔　　〕

(2) 財宝の在りかを探《さぐ》る。
ア よ　イ あ　〔　　〕

(3) 仮説を立てて検証する。
ア か　イ かり　〔　　〕

(4) 相手の戦略を逆手にとる。
ア さか　イ ぎゃく　〔　　〕

(5) 長い航海を経て故郷へ帰る。
ア へ　イ え　〔　　〕

(6) 鉱物資源が豊富《ふ》にある国。
ア ほう　イ とよ　〔　　〕

(7) 墓前に花を供える。
ア ぼ　イ はか　〔　　〕

(8) 今日を境に態度を改める。
ア かがみ　イ さかい　〔　　〕

中学校のさきどり　類義語

2 (4)を別の熟語で言い表すことができますか？　正解は「施設《しせつ》」。「施」は中学校で習います。このような似ている言葉同士を「類義語」といいます。類義語は小学校でも学習しますが、中学校ではさらに多くの類義語を学習します。

類義語の例（――線部は中学校以上で習う読みや漢字）

・技量＝手腕《しゅわん》　・一生＝生涯《しょうがい》
・経歴＝履歴《りれき》　・承認《しょうにん》＝承諾《しょうだく》
・達成＝成就《じょうじゅ》

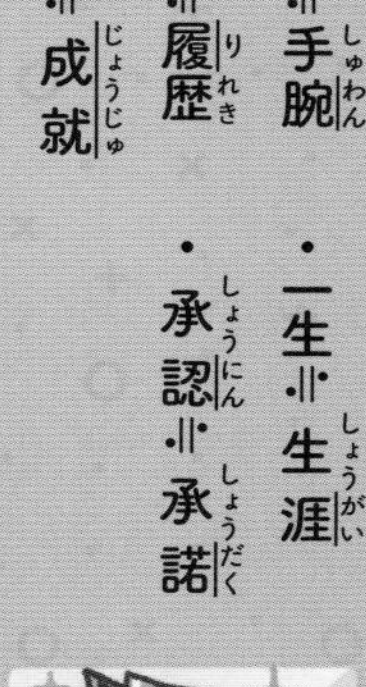

5年生の重要漢字 書き順

目標時間 3分

解答は別冊の P.015

復習ポイント
書き間違《まちが》えやすい漢字

布 可 再 快 版

布：縦画が一画目
再：つき出ない
快：三画目

武 逆 独 率 常

武：三画目
独：つき出ない
率：「フ」としない
常：ツにしない

減 費 織 雑 興

織：長く一画で
興：一～四画目

1 次の文の――線に合う漢字を書きなさい。

(1) エイキュウ歯が生えそろう。（　　）

(2) 一家をササえる大黒柱。（　　）

(3) どんぐりの背《せい》クラべ。（　　）

(4) ホトケの顔も三度。（　　）

(5) 花よりダン子《ご》。（　　）

(6) 終了《しゅうりょう》時刻をツげる鐘《かね》。（　　）

(7) 医師をココロザす。（　　）

(8) コセイ的な絵が評判の画家。（　　）

(9) 父は舌がコえている。（　　）

(10) ツマと子を養う。（　　）

(11) 山奥《やまおく》にある宿シャに泊《と》まる。（　　）

(12) 製品のホショウ期限が過ぎる。（　　）

(13) 息をコロして身をひそめる。（　　）

(14) 畑をタガヤす。（　　）

(15) ナサけは人のためならず。（　　）

(16) ケワしい山道を登りきる。（　　）

(17) タイでアジアゾウに乗る。（　　）

(18) 実サイに起きた事件について調べる。（　　）

(19) 寿司《すし》ショク人になりたい。（　　）

中学校のさきどり ことわざ・慣用句

1(3)(4)(5)(15)のような言葉を「ことわざ」、(9)(13)のような言葉を「慣用句」といいます。ことわざや慣用句を知っていると表現の幅《はば》が広がり、多くの場面で役立ちます。

例 中学校で習う漢字を用いた慣用句

・腕《うで》を磨《みが》く…訓練を重ね、技術や能力を向上させること。

・襟《えり》を正す…気を引き締《し》めて物事に接すること。

5年生の重要漢字　書き①

目標時間 5分

解答は別冊の P.015

復習ポイント

書き間違《まち》《が》えやすい漢字・語句

編む
右側の形に注意。「扁」は「冊」の中の縦棒が二本。「用」としないこと。

喜ぶ
「士」を「土」としないこと。七〜九画目を「廾」としないこと。

査証
「査」の「且」を「旦」としないこと。「証」は複数ある同音異字に注意。

指導
「導」は「寸」を忘れないこと。「私道」「始動」などの同音異義語に注意。

比率
「比」は四画。左の「上」を三画で書かないこと。「率」は「卒」と書かないこと。

1 次の文の——線の言葉に合う漢字を書きなさい。

(1) 無言のアツ力《りょく》を感じる。（　　）

(2) 作品を展ジする。（　　）

(3) 猫《ねこ》が毛《もう》フにくるまる。（　　）

(4) 虹《にじ》が出るためのジョウケン。（　　）

(5) 順ジョ立てて説明する。（　　）

(6) 意見をノべる。（　　）

(7) 家に友人をショウ待する。（　　）

(8) 町内に大きな庭園をツクる。（　　）

(9) 白をキ調とした家。（　　）

(10) 運動会でキュウゴ係を務める。（　　）

(11) 蝶《ちょう》のサイ集《しゅう》に凝《こ》っている。（　　）

(12) ビルの定期点ケンが行われる。（　　）

(13) ゼイ金を支払《しはら》う。（　　）

(14) 将来のユメを語り合う。（　　）

(15) 春が近づき雪ドけが始まる。（　　）

DAY 1
DAY 2
DAY 3
DAY 4
DAY 5
DAY 6
DAY 7

2 次の文の——線の言葉に合う漢字を書きなさい。

(1) ヒサしぶりに能を鑑賞《かんしょう》する。（　　）

(2) カネンごみを出す。（　　）

(3) 事故のイン果《が》関係をつきとめる。（　　）

(4) 新築が建つまでのカリ住まい。（　　）

(5) 両親の期待にコタえる。（　　）

(6) 基本のギジュツを身につける。（　　）

(7) 人々の生活に欠かせない運《うん》が。（　　）

(8) 難しい計算をヨウイにこなす。（　　）

(9) 几帳面《きちょうめん》なセイカクの姉。（　　）

(10) 祖父母と同《どう》キョしている。（　　）

(11) ギャッキョウに負けず努力する。（　　）

(12) キソク正しい生活を送る。（　　）

(13) ツバメはエキ鳥だ。（　　）

(14) 彼《かれ》には武道のソシツがある。（　　）

(15) 壊《こわ》れたテレビをシュウ理する。（　　）

(16) 社員食ドウで昼食をとる。（　　）

(17) 季節のウツり変わりを感じる。（　　）

(18) セツガンレンズをのぞきこむ。（　　）

(19) 兄には心をユルしている。（　　）

(20) 池に氷がハる。（　　）

(21) 危ケンな場所には近づかない。（　　）

(22) 薬の効果がアラワれる。（　　）

(23) 自分の実力をカ信《しん》して失敗する。（　　）

(24) 市《し》エイの総合プールに遊びに行く。（　　）

(25) お別れ会のカン事を任される。（　　）

(26) 単独犯自らツミを認める。（　　）

(27) 先輩《せんぱい》としての心ガマえ。（　　）

(28) 防災についてのコウエン会に行く。（　　）

(29) 雑誌の発刊日をタシかめる。（　　）

5年生の重要漢字　書き②

目標時間
5分

解答は別冊の
P.016

復習ポイント

書き間違《まちが》えやすい漢字・語句

寄る
「宀（うかんむり）」を忘れない。七画目の「一」は長く書くとバランスがよい。

常識
「識」は似ている漢字「織」「職」に注意する。十二画目は長く一気に書く。

容易
「易」の画数に注意。「易」のようにしない。同音異義語「用意」にも注意。

報告
「報」は右側の形に注意。「告」は四画目を長く書くとバランスがよい。

義務
「義」は「議」としない。「務」は五画目を忘れて「予」としないこと。

1 次の文の――線の言葉に合う漢字を書きなさい。

(1) 江戸《えど》時代に活躍《かつやく》したブシ。（　　）
(2) 新キュウの校舎が並ぶ。（　　）
(3) 百葉箱が示すゲンザイの気温。（　　）
(4) ココロヨい返事をもらう。（　　）
(5) 四方を山にカコまれた盆地《ぼんち》。（　　）
(6) ニたもの同士の二人。（　　）
(7) 財産をキン等《とう》に分ける。（　　）
(8) 様々なサイ害に備える。（　　）
(9) 野菜を皮までアマさず使う。（　　）
(10) 大会で高ヒョウカをもらう。（　　）
(11) 木々のエダ葉《は》を切り落とす。（　　）
(12) 大規模な世論調サを実施《じっし》する。（　　）
(13) 学問をオサめる。（　　）
(14) 満開のサクラを味わう。（　　）
(15) コウ空会社に就職する。（　　）

2 次の文の——線の言葉に合う漢字を書きなさい。

(1) ボウハン対策を練る。

(2) 食べ過ぎは体にドクだ。

(3) きれいな花が目にトまる。

(4) 画用紙を勢いよくヤブる。

(5) バスがテイ車する。

(6) 姉は器用ビン乏《ぼう》だ。

(7) 大勢の人でコンザツする遊園地。

(8) 話し合いの時間をモウける。

(9) 老後にソナえて貯蓄《ちょちく》する。

(10) 身長をハカる。

(11) 小学生を対ショウとしたイベント。

(12) 失礼な態度をシャザイする。

(13) 無断の入室は原則キン止《し》だ。

(14) タンポポのワタ毛を飛ばす。

(15) 習うよりナれよ。

(16) 児童の為《ため》の新制度をコウチクする。

(17) 総合優勝へミチビいた主将の統率《とうそつ》力。

(18) 運動場で思い切りアバれる。

(19) ヒタイに汗《あせ》して働く。

中学校のさきどり

一番画数の多い漢字は？

小学校で学ぶ漢字1026字の中で一番画数の多い漢字は何でしょう？ 答えは5年生で学ぶ「護」、4年生で学ぶ「競」「議」の二十画です。二十画もの漢字は、複雑で上手に書くのが難しいかもしれません。しかし、中学生になるとさらに画数の多い漢字を学習します。

中学校で習う一番画数の多い漢字

鬱

画数…二十九画
音読み…ウツ
熟語…憂鬱《ゆううつ》

5年生の重要漢字　書き③

目標時間 5分

解答は別冊の P.016

復習ポイント

書き間違《まちが》えやすい漢字・語句

護衛
「護」は右側の形に注意。「又」を「夂」としない。「衛」は真ん中の形に注意。

製造
「製」は「制」としない。「造」は「大きいものをつくる」ときに多く用いる。

複雑
「複」は「ネ（ころもへん）」。似ている漢字「復」「腹」と書かないこと。

破損
「損」は「貝」の部分を「月」と書かないように。

態勢
「態」は「心」を「灬（れんが）」にしないこと。同音異義語にも注意する。

1 次の文の——線の言葉に合う漢字を書きなさい。

(1) 木にブツゾウを彫《ほ》る。（　　）
(2) レキシ研究に情熱を注ぐ。（　　）
(3) セキニン感の強い兄。（　　）
(4) 試験の結果をホウコクする。（　　）
(5) 事故を未然にフセぐ。（　　）
(6) 周イを見渡《みわた》す。（　　）
(7) 畑にヒ料をまく。（　　）
(8) 木《もく》ハン画で年賀状を作製する。（　　）
(9) 手マネきして弟を呼ぶ。（　　）
(10) 父は愛サイ家《か》で知られている。（　　）
(11) 殺虫剤《さっちゅうざい》のキき目が薄《うす》まる。（　　）
(12) 巨大《きょだい》な山ミャクを眺《なが》める。（　　）
(13) 日本人は農コウ民族だ。（　　）
(14) フ人《じん》服売り場へ行く。（　　）
(15) 青と白の絵の具をマぜる。（　　）

2 次の文の――線の言葉に合う漢字を書きなさい。

(1) 後輩に手本をシメす。（　　）

(2) 一休みしてフタタび歩き始める。（　　）

(3) 誕生日会でヨキョウを楽しむ。（　　）

(4) 記ジュッ式の問題に答える。（　　）

(5) 模ケイの船を組み立てる。（　　）

(6) ヒトり言が多い。（　　）

(7) コ事成語の由来を調べる。（　　）

(8) 分《ぶ》アツい辞書を片手に勉強する。（　　）

(9) カギりある資源を大切にしよう。（　　）

(10) 空気中のサンソ濃度《のうど》は約20％だ。（　　）

(11) リュウ学費用を貯蓄《ちょちく》する。（　　）

(12) 山に入ってきのこをトる。（　　）

(13) ツネ日頃《ひごろ》から考えていること。（　　）

(14) 友人からの誘《さそ》いをコトワる。（　　）

(15) チームをヒキいる。（　　）

(16) 作文コンクールのジュショウ式。（　　）

(17) 話の一部を省リャクする。（　　）

(18) 友人に筆記用具をカす。（　　）

(19) お小遣《こづか》いをチョ金する。（　　）

(20) キ色《しょく》満面でプレゼントを受け取る。（　　）

(21) 宿題をテイ出する。（　　）

(22) キャンプの日《にっ》テイを調整する。（　　）

(23) 笑顔《えがお》をタやさず明るくふるまう。（　　）

(24) 作業人数を限界までへらす。（　　）

(25) 体育祭に向けてジュンビを行う。（　　）

(26) チーム全体の意《い》シキトウ一《いつ》を図《はか》る。（　　）

(27) 風紀に厳しいバレー部に所ゾクする。（　　）

(28) 体重がフえる。（　　）

(29) トイレを清ケツに使う。（　　）

5年生の重要漢字　書き④

目標時間 5分

解答は別冊のP.016－P.017

復習ポイント　書き間違《まちが》えやすい漢字・語句

型
音訓共に同じ読み方の「形」と間違えないように。意味の違いを確認する。

習慣
「慣」の右側の形に注意。「毌」を「母」のようにつき出さないこと。

耕す
左側の横棒の数に注意。送りがなにも注意して覚える。

素因
「素」は四画目を長く書く。「因」は似ている漢字「困」と間違えないこと。

属領
「属」の十～十二画目を「山」のようにしないこと。

---

1 次の文の――線の言葉に合う漢字を書きなさい。

(1) 毒舌《どくぜつ》ぶりにゼックする。（　　）
(2) 難しいハンダンを強《し》いられる。（　　）
(3) 薬で小康ジョウタイを保つ。（　　）
(4) 思わずム者ぶるいが出る。（　　）
(5) 外国とのボウエキを行う。（　　）
(6) ヒジョウシキな行動。（　　）
(7) 停留所までの道にマヨう。（　　）
(8) 旅先でキ行《こう》文を書く。（　　）
(9) ゾウ花でつくった髪飾《かみかざ》り。（　　）
(10) 友人の失敗をセめる。（　　）
(11) 野生動物の命をスクう。（　　）
(12) 意志を明確に主チョウする。（　　）
(13) マズしくても楽しい暮らし。（　　）
(14) 降水量を予ソクする。（　　）
(15) 震災《しんさい》のフッコウに尽力《じんりょく》する。（　　）

2 次の文の――線の言葉に合う漢字を書きなさい。

(1) 講話本をカン行する。（　　）

(2) イ心地《ここち》のいい空間。（　　）

(3) オウフク切符を購入《こうにゅう》する。（　　）

(4) 新しいセイ度を設ける。（　　）

(5) 国の新しいセイ策を発表する。（　　）

(6) 先ゾ代々の墓にお参りする。（　　）

(7) 母も私も花フン症《しょう》だ。（　　）

(8) ソントクぬきで誰《だれ》にでも親切にする。（　　）

(9) ケイヒを節約して利益を出す。（　　）

(10) エキ体が気体になる。（　　）

(11) 駅前でキ付金を募《つの》る。（　　）

(12) 国民の三大ギム。（　　）

(13) ソウゼイ百名の大所帯。（　　）

(14) クラスのシ育委員に選ばれる。（　　）

(15) ユタかな自然が残る地域。（　　）

(16) 無我《むが》ム中で働く。（　　）

(17) バスの運賃をセイ算する。（　　）

(18) フク数の領土を保有する国。（　　）

(19) 五輪でドウメダルを獲得《かくとく》する。（　　）

(20) おすすめの短ペン小説を貸す。（　　）

(21) 乱ボウな言葉は人を傷つける。（　　）

(22) 君の意見にサン成だ。（　　）

(23) 闘志《とうし》をモやす。（　　）

(24) 手術でユ血する。（　　）

(25) 綿密な手洗いでエイ生に気をつける。（　　）

(26) 良好な関係をキズく。（　　）

(27) 模試の成セキを伸《の》ばす。（　　）

(28) 社会という組《そ》シキにもまれる。（　　）

(29) 帽子《ぼうし》を定価の半ガクで購入した。（　　）

テスト 6

目標時間 10分

解答は別冊の P.017

1 次の文の――線の言葉に合う読みを書きなさい。

(1) 物語の序章を簡潔に話す。（　　）
(2) 台風で船が欠航になる。（　　）
(3) 家財道具一式を新しくする。（　　）
(4) 金の鉱脈を発見する。（　　）
(5) そろそろ本領発揮といこうか。（　　）
(6) 雑木林の小道を行く。（　　）
(7) 枯《か》れ枝を燃やす。（　　）
(8) 窓ガラスが破損する。（　　）

2 次の文の――線の言葉に合う漢字を書きなさい。

(1) 個展の警備をマカされる。（　　）
(2) テストの平キン点をこえた。（　　）
(3) 金科玉《きんかぎょく》ジョウのごとく扱《あつか》う。（　　）
(4) 今、非常にヒョウバンがよい本。（　　）
(5) 人のオウ来が激しい街。（　　）
(6) マヨい猫《ねこ》を捜《さが》す。（　　）
(7) パンのセイゾウ工場に勤める。（　　）
(8) シッソな生活を心がける。（　　）
(9) 授業の内ヨウをノートに取る。（　　）
(10) 成長のカテイを記録する。（　　）
(11) 水量のゾウゲンが激しい河。（　　）
(12) サン味の強い果物。（　　）
(13) ドウゾウを設置する。（　　）
(14) 父は植物にセイ通している。（　　）
(15) 人工エイ星で地球を観測する。（　　）
(16) 日頃《ひごろ》の感シャの気持ちを表す。（　　）
(17) 早寝《はやね》早起きの習カン。（　　）

3 次の文の□に漢字を書き入れて、文章を完成させなさい。

(1) 国□《さい》的に活躍《かつやく》する□《べん》□《ご》□《し》。

(2) □《きゅう》□《きょ》□《りゅう》地に建つ□《れき》□《し》的な建物。

(3) 国□《きょう》なき医□《し》□《だん》に憧《あこが》れる。

(4) いつか夫《ふう》□《ふ》で□《かい》□《てき》な旅をするのが□《ゆめ》だ。

(5) □《げん》□《ざい》の建□《ちく》□《き》□《じゅん》に□《てき》合したビル。

(6) 高□《せい》□《のう》な機械の□《どう》入で作業の□《こう》□《りつ》が上がる。

(7) □《さくら》前線の□《じょう》□《ほう》をいち早く□《てい》供する。

(8) □《こう》□《どう》で行われた□《えん》奏会で□《しょう》□《さん》を得る。

(9) □《めん》花や小麦□《こ》は海外からの□《ゆ》入に頼《たよ》る。

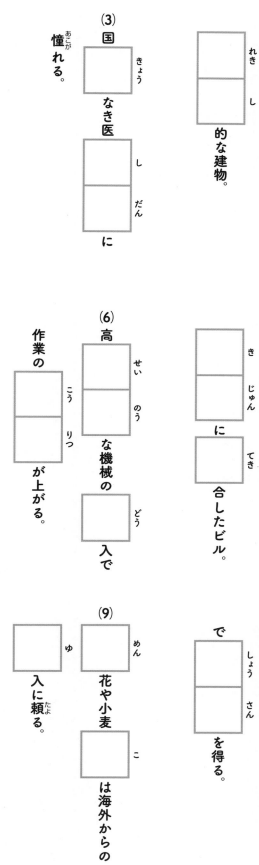

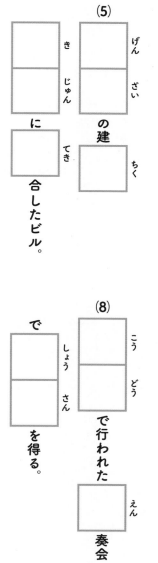

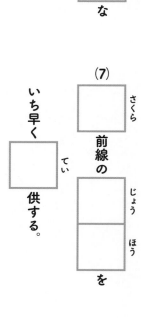

6年生の重要漢字　読み

目標時間 3分

解答は別冊のP.017

復習ポイント

読み方を間違《まちが》えやすい漢字

巻
音読み　カン
訓読み　ま（く）・まき
熟語　巻末《かんまつ》　巻《ま》き尺《じゃく》　絵巻物《えまきもの》

訪
音読み　ホウ
訓読み　たず（ねる）・▲おとず（れる）
熟語　訪問《ほうもん》　恩師《おんし》を訪《たず》ねる

創
音読み　ソウ
訓読み　つく（る）
熟語　創造《そうぞう》　創作《そうさく》

尊
音読み　ソン
訓読み　たっと（い）・とうと（い）・たっと（ぶ）・とうと（ぶ）
熟語　尊厳《そんげん》　尊敬《そんけい》

皇
音読み　コウ　オウ
訓読み　——
熟語　皇后《こうごう》　天皇《てんのう》

1

次の文の——線の言葉に合う読みを、下のア～コから選び、記号で答えなさい。

(1) 若気の至り。
(2) 私情をはさむ。
(3) 雑草を除去する。
(4) 胸中に秘《ひ》める。
(5) 俳句をたしなむ。
(6) 取捨選択《せんたく》をする。
(7) 電車の車窓からの眺《なが》め。
(8) 参議院と衆議院。
(9) 仁愛に満ちた母を尊ぶ。
(10) 年配者を敬う。

ア　しゃ
イ　じょ
ウ　し
エ　いた
オ　そう
カ　はい
キ　うやま
ク　きょう
ケ　たっと
コ　しゅう

2 次の文の――線の言葉に合う読みを書きなさい。

(1) 干満差が日本一の有明海《ありあけかい》。（　　）

(2) 牛乳を冷蔵庫で保存する。（　　）

(3) 一日の流れを系統立てて話す。（　　）

(4) 卒業を祝う垂れ幕が下がる。（　　）

(5) 天皇陛下のお言葉。（　　）

(6) 過去の降水量を調べる。（　　）

(7) 遺骨を墓に納める。（　　）

(8) 宿題を済ませて雑誌を読む。（　　）

(9) 国ごとに異なる文化を持つ。（　　）

3 次の文の――線の言葉に合う読みを、あとのア・イからそれぞれ選び、記号で答えなさい。

(1) 噴火《ふんか》で火山灰が飛ぶ。
ア かい　イ ばい　［　　］

(2) 延べ百万人の来場者。
ア の　イ す　［　　］

(3) 濃《こ》い紅色をした南天の実。
ア べに　イ あか　［　　］

(4) 的を射た答え。
ア え　イ い　［　　］

(5) 養蚕業がさかんだった地域。
ア さん　イ ちゅう　［　　］

(6) 人の罪を裁く。
ア さば　イ あば　［　　］

(7) おにぎりが私の元気の源だ。
ア あかし　イ みなもと　［　　］

(8) 鋼材の寸法を測る。
ア こう　イ もう　［　　］

中学校のさきどり 「胸」の部首は？

1(4) 「胸」の漢字の部首は何でしょう。「つきへん」だと思いがちですが、身体の部分を表す「月」は特別に「にくづき」という名前がついています。

「にくづき」を部首にもつ漢字例

・肥 脈 肺 脳 腸 腹 臓 背 胃 育など …小学校で習う

・肌《はだ》 脇《わき》 腰《こし》 膝《ひざ》 腕《うで》 脚《あし》 脂《あぶら》 胴《どう》 肩《かた》 脊《せき》など …中学校で習う

6年生の重要漢字　書き順

目標時間 3分

解答は別冊の P.017

復習ポイント

書き間違《まちが》えやすい漢字

己　つき出ない

収　一画目

片　二画目

孝

刻

拝　横棒は四本

看　つき出ない

骨

座　八画目長く

済　書き順注意

郷　三画で書く

衆　「イ」をはさんで

穀　「ノ」を書く

蔵

優　九、十画目注意

1 次の文の——線に合う漢字を書きなさい。

(1) 洗濯《せんたく》物をホす。（　）

(2) スンゲキを楽しむ。（　）

(3) 祖父から誕生日プレゼントがトドく。（　）

(4) 雨で運動会がエン期になる。（　）

(5) スナ時計で時間を計る。（　）

(6) 温《おん》セン宿で郷土料理に舌鼓《したつづみ》を打つ。（　）

(7) 銭湯でゆっくり背中をアラう。（　）

(8) ジュン真な心の持ち主。（　）

(9) 今日は家庭ホウ問の日だ。（　）

(10) 無人島をタン検する。（　）

(11) 将来の計画を綿ミツに話し合う。（　）

(12) 県庁のマド口《ぐち》に並ぶ。（　）

(13) 茶碗《ちゃわん》がワれる。（　）

(14) 新任の先生のシュウ任挨拶《あいさつ》。（　）

(15) 今年はダン冬で雪が降らない。（　）

(16) 外資系の会社にツトめる。（　）

(17) 実力を発キする。（　）

(18) 近隣《きんりん》諸国と同メイを結ぶ。（　）

(19) 新しい内カクを組カクする。（同じ漢字）（　）

中学校のさきどり

小学校で習う漢字が重要な理由

小学校で習う漢字は、中学校でも重要視されています。なぜなら、公立高校入試の書き問題には小学校で習う漢字が出題されることが多いからです。中学生になる前に、小学校で習う漢字は完璧《かんぺき》にしておきましょう。

高校入試でよく問われる漢字例

・届く　・拾う
・預かる　・危険
・専門　・綿密

6年生の重要漢字 書き①

目標時間 5分

解答は別冊の P.018

復習ポイント

書き間違《まちが》えやすい漢字・語句

傷
右側の形に注意。「𠃓」を「易」としないこと。

延び
「廴（えんにょう）」は三画。「正」を「壬」としないこと。

鉄鋼
「鋼」を「鉱」「銅」など、同じ部首を持つ漢字と間違えないように注意。

専従
「専」の右上に「丶」をつけないこと。「従」は「徒」と書き間違えないこと。

蒸発
「蒸」の「フ」を「冫」としないこと。九画目の「一」を忘れないこと。

1 次の文の——線の言葉に合う漢字を書きなさい。

(1) セミのヨウ虫を観察する。
(2) 官公チョウに就職する。
(3) ハリアナに糸を通す。
(4) 深コキュウで気持ちを整える。
(5) 激しい口調でヒ判する。
(6) 彼《かれ》はコウ行者の息子だ。
(7) 子猫《こねこ》が親猫のチチを飲む。
(8) 聖人の言葉を胸にキザむ。
(9) 糖分の摂《と》りすぎのチュウ告。
(10) テレビで昔のエイ像を見る。
(11) テンラン会で作品を拝見する。
(12) 目に余る食欲にヘイ口《こう》する。
(13) 店の看板をサガす。
(14) アフリカのショ国を視察する。
(15) 心地《ここち》よいシオ風が吹《ふ》く。

2 次の文の――線の言葉に合う漢字を書きなさい。

(1) 宝石箱に指輪をオサめる。

(2) 火元に近づくとアブない。

(3) この問題を解くのはシナンのわざだ。

(4) コウゴウヘイ下《か》がおいでになる。

(5) 担任の先生にコマり事を相談する。

(6) 仏教は複数のシュウハに分けられる。

(7) 道路のカク張《ちょう》工事が行われる。

(8) 山の頂で初日の出をオガむ。

(9) 神棚《かみだな》に穀物をソナえる。

(10) 湖面に月がウツる。

(11) 布を紅色にソめる。

(12) 直シャ日光の浴びすぎに注意する。

(13) 家賃の値上げを検トウする。

(14) 二ハンに分かれて工場を見学する。

(15) 学校一番の古カブの先生。

(16) トンネルを抜《ぬ》けてシ界が広がる。

(17) スてる神あれば拾う神あり。

(18) ここは遊泳禁止区イキだ。

(19) 一文を文節と品シに分ける。

(20) 駅までの道スジを聞く。

(21) 弁護士をつけてサイ判で争う。

(22) チャンスをボウにふる。

(23) ヨい行いを心がける。

(24) ボールが当たってゲキツウが走る。

(25) キヌ糸は蚕《かいこ》からつくられる。

(26) 過去の過《あやま》ちをミトめ考養をつくす。

(27) 漢字のアヤマりを正す。

(28) 腹案をロン理的に述べる。

(29) 専門家というには未ジュクだ。

6年生の重要漢字　書き②

目標時間 5分

解答は別冊のP.018

復習ポイント　書き間違《まちが》えやすい漢字・語句

勤労
「勤」の横棒の数に注意。七画目は上につき出ない。

困難
「困」は「因」と間違えない。「難」の左側の横棒は二本。九画目はつき出ない。

幼い
左の形に注意。「糸」や「系」としないように注意する。

誤訳
「誤」の右側の形に注意。十一画目は一気に書く。「訳《やく》」は音読み。

郵送
「郵」の左側の横棒の数に注意。八画目は右上にはらう。

---

1 次の文の――線の言葉に合う漢字を書きなさい。

(1) 仏閣を巡《めぐ》り自コを見つめ直す。（　　）

(2) 新鮮《しんせん》な空気をスう。（　　）

(3) ツクエの上に食券を置く。（　　）

(4) ウチュウから見た地球。（　　）

(5) 名前を呼ばれてワレに返る。（　　）

(6) 歩道にソって歩く。（　　）

(7) 現在の時コクを尋《たず》ねる。（　　）

(8) 貴重な情報を提キョウする。（　　）

(9) この写真は私のタカラ物だ。（　　）

(10) 演劇部の舞台《ぶたい》装置タン当。（　　）

(11) フルートを演ソウする。（　　）

(12) 興奮で頬《ほお》をコウチョウさせる。（　　）

(13) 皮カク製品の値段。（　　）

(14) 寒いのでハラマキをして寝《ね》る。（　　）

(15) 盟友のザ右《ゆう》の銘《めい》を聞く。（　　）

2 次の文の——線の言葉に合う漢字を書きなさい。

(1) お手紙をハイ見《けん》しました。

(2) 党首の座をシリゾく。

(3) 草木染め職人としてチョ名な人物。

(4) イ口《く》同音《どうおん》に反対する。

(5) 部屋の扉《とびら》をシめる。

(6) 暑い日は水分ホ給を忘れずに。

(7) 鎌倉《かまくら》バク府を描《えが》いた小説を読む。

(8) バスの運チンを支《し》払《はら》う。

(9) 高ソウビルが建ち並ぶ中心部。

(10) 弟の言うことを半信半ギで聞く。

(11) 図書館のゾウ書を検索《けんさく》する。

(12) 得意科目も試験では油断大テキだ。

(13) リン機応変に対応する。

(14) 毎朝のラジオ体ソウを推奨《すいしょう》する。

(15) クヌギの木のジュ液に虫が集まる。

(16) ジュウ横無《む》尽《じん》に走る都会の地下鉄。

(17) 雪国にはキビしい寒さが待っている。

(18) 洗濯したらセーターがチヂんだ。

(19) 一日の出来事をカン潔に話す。

中学校のさきどり 四字熟語

漢字四文字で構成される四字熟語は、小学校ではもちろん、中学校でも多く学びます。難しい読み方の四字熟語もあるので、意味とあわせて覚えるようにしましょう。

中学校で習う四字熟語の例

- **絶体絶命《ぜったいぜつめい》**…「体」を「対」としないように。
  意味 追いつめられて、逃《に》げられない様子。
- **意味深長**…「深」を「身」としないように。
  意味 奥《おく》深くて含《ふく》みのあること。

6年生の重要漢字　書き③

目標時間　5分

解答は別冊の P.018

復習ポイント

書き間違《まち》え《が》やすい漢字・語句

疑う
「矢」を「失」としない。右側の形、送り仮名にも注意する。

株券
「券」の六画目の書き始めの位置に注意。「刀」を「力」や「己」としない。

皇后
「后」の三画目は二画目のやや下から書き始める。「口」は二画目からはなす。

脳裏
「脳」は右側の形と同音異字「能」に注意。「裏」の十画目を忘れない。

暖か
十一画目はつき出ない。同訓異字「温か」にも注意する。

1 次の文の――線の言葉に合う漢字を書きなさい。

(1) 備品をシュウノウする。（　　　）
(2) 俳諧《はいかい》本を三サツ買う。（　　　）
(3) 昨晩遅《おそ》くに帰タクした。（　　　）
(4) うわさをヒ定する。（　　　）
(5) 生活リズムがミダれる。（　　　）
(6) 彼《かれ》の努力はナミ大抵《たいてい》ではない。（　　　）
(7) 地域に伝ショウし続ける昔話。（　　　）
(8) 歌詞がイズミのように湧《わ》く。（　　　）
(9) シ勢を正して正座する。（　　　）
(10) 有名な指揮者が引タイする。（　　　）
(11) 農民が米ダワラを担《かつ》ぐ（　　　）
(12) 美術品の価チが認められる。（　　　）
(13) 明ロウな彼女《かのじょ》は好かれている。（　　　）
(14) 遅刻《ちこく》の言いワケをする。（　　　）
(15) ユウ便《びん》物を届ける。（　　　）

2 次の文の——線の言葉に合う漢字を書きなさい。

(1) シュクシャク五千分の一の地図。（　　）

(2) 母のことがカタ時も頭から離《はな》れない。（　　）

(3) 風邪《かぜ》薬をショ方される。（　　）

(4) 老人に座席をゆずるワカ者《もの》。（　　）

(5) 真っすぐスイ直《ちょく》に伸《の》びた杉《すぎ》の木。（　　）

(6) 新装開店のセン伝をする。（　　）

(7) リンク上での圧カンの演技。（　　）

(8) 心臓の弱い弟のカン病をする。（　　）

(9) サトウはダイエットの敵らしい。（　　）

(10) ショウ来の姿を想像する。（　　）

(11) 新しい政トウを批評する。（　　）

(12) 彼は私の命のオン人だ。（　　）

(13) 作文を書くのはホネが折れる。（　　）

(14) 弟の機嫌《きげん》を直すためのヒサクがある。（　　）

(15) 危険なものを取りノゾく。（　　）

(16) 方位ジシンで方角を知る。（　　）

(17) 生まれ故キョウが思い出される。（　　）

(18) ヨク月の誌面に私の写真が載《の》る。（　　）

(19) 料理をモりつける。（　　）

(20) 地層から過去の環境《かんきょう》をスイ測する。（　　）

(21) 質素に暮らす両親をソンケイする。（　　）

(22) 合奏会で重要な役ワリを任される。（　　）

(23) 歴史的価値のあるキ重な絹織物。（　　）

(24) ジョウ気機関車を見に行く。（　　）

(25) 入学書類にショ名する。（　　）

(26) 簡単な日シをつける。（　　）

(27) 夕《ゆう》グれどきの茜色《あかねいろ》の空。（　　）

(28) 大規ボな工事が行われる。（　　）

(29) 亡《な》き父のイ志を継《つ》ぐ。（　　）

6年生の重要漢字　書き④

目標時間 5分

解答は別冊の P.019

復習ポイント 書き間違《まちが》えやすい漢字・語句

展覧　「展」の八〜十画目を「衣」としない。「覧」の「見」を「貝」としない。

厳密　「厳」の六〜十三画目に注意。

就職　「就」の十一画目に注意。右側の形が「犬」とならないように。

閉幕　「閉」の十一画目「才」は少しつき出す。「幕」は似ている漢字「暮」に注意。

模様　「模」の右側の形が「暮」「幕」にならないように注意。

1 次の文の——線の言葉に合う漢字を書きなさい。

(1) お家《いえ》のソンボウをかけた戦い。（　　）
(2) ジン徳のある人になりたい。（　　）
(3) ワスれ難《がた》い夏の思い出。（　　）
(4) 蛙《かえる》がタマゴを産む。（　　）
(5) エン岸漁業のさかんな地域。（　　）
(6) 机に散ランする紙を片付ける。（　　）
(7) 高級皿を五マイ買う。（　　）
(8) 規リツ正しい生活を送る。（　　）
(9) エベレスト登《とう》チョウに成功。（　　）
(10) 植樹活動を意ヨク的にする。（　　）
(11) 孫たちに囲まれたバン年。（　　）
(12) 不足しがちな栄養をオギナう。（　　）
(13) 個展の準備に最ゼンをつくす。（　　）
(14) 恩師の死にショウ心する。（　　）
(15) 限りある資ゲンを大切にする。（　　）

2 次の文の――線の言葉に合う漢字を書きなさい。

(1) 妹はよくシタが回る。（　　）

(2) 駅で乗車ケンを購入《こうにゅう》する。（　　）

(3) ハイ後からそっと近づく。（　　）

(4) 僕《ぼく》の犬はチュウセイ心が強い。（　　）

(5) ハイ活量を調べる。（　　）

(6) 食べ過ぎてイチョウ薬を飲む。（　　）

(7) 突然の宣告にムネを痛める。（　　）

(8) 力士が土ヒョウに上がる。（　　）

(9) 郷《ごう》にいっては郷にシタがえ。（　　）

(10) 各国の首ノウが集まる。（　　）

(11) 借りたお金を返サイする。（　　）

(12) 毎日のマラソンでキン力《りょく》を鍛《きた》える。（　　）

(13) 事業拡大にはソウ意工夫《くふう》が必要だ。（　　）

(14) 良かれと思ったことがウラ目に出る。（　　）

(15) お小遣《こづか》いを銀行にヨ金する。（　　）

(16) 和ソウが似合う女の人。（　　）

(17) キン勉で誠実な兄を見習う。（　　）

(18) 右手を怪我《けが》し生活に支ショウが出る。（　　）

(19) 日本有数のコク倉地帯。（　　）

(20) 祖父は古《こ》セン集めが趣味《しゅみ》だ。（　　）

(21) 純情な妹にゴ解される。（　　）

(22) 利己的な発言に耳をウタがう。（　　）

(23) ケン利を尊重する。（　　）

(24) 児童ケン章が制定された。（　　）

(25) 勇気をフルって告白する。（　　）

(26) タテ書きの用紙で手紙を書く。（　　）

(27) 今年こそは個人ユウ勝を果たしたい。（　　）

(28) 危険な行動にケイ笛が鳴らされる。（　　）

(29) 魚の内ゾウをきれいに処理する。（　　）

テスト7

目標時間 10分

解答は別冊の P.019

1 次の文の——線の言葉に合う読みを書きなさい。

(1) 穴場の観光地を教える。

(2) 会社の沿革を調べる。

(3) 国会で承認《にん》を得る。

(4) 宗教的要素が多い昔の絵画。

(5) 棒磁石と砂鉄で模様を作る。

(6) 聖火台に火が灯《とも》る。

(7) ロボットを操縦する。

(8) 家族で遊覧船に乗る。

2 次の文の——線の言葉に合う漢字を書きなさい。

(1) 白と黒の絵の具で作るハイ色《いろ》。

(2) ニマイジタを使う。

(3) 犯行をヒ認する。

(4) 運動会の日程がノびる。

(5) セン用のカップで紅茶を飲む。

(6) 目的地までの移動手ダン。

(7) 電車からオりる。

(8) 友人とヒミツの約束をする。

(9) 脳死についてトウロンする。

(10) ユウ便局で荷物を預ける。

(11) 瞳《ひとみ》をトじて眠《ねむ》りにつく。

(12) 恩師の尺八をイタダく。

(13) 解決に向けた対サクを講じる。

(14) 全ての生命はトウトい。

(15) 法律改正と選挙ケンの年齢《ねんれい》。

(16) ショ問題を解決する。

(17) 英語を日本語にヤクす。

3 次の□に漢字を書き入れて、文章を完成させなさい。

(1) □《おさな》い子□《ども》が夜遅《おそ》くに出歩くと□《き》険だ。

(2) 民□《しゅう》向けの□《けん》法の雑□《し》を一□《さつ》もらう。

(3) 無数の星が□《そん》在する銀河□《けい》□《う》□《ちゅう》。

(4) □《はん》長が□《わす》れ物を自□《たく》まで□《とど》けてくれた。

(5) □《はり》仕事は□《わたし》にとって□《し》福のひとときだ。

(6) □《い》・□《ちょう》・□《はい》・心□《ぞう》などの大切な□《ぞう》器。

(7) □《たん》生日までに□《ふっ》□《きん》と□《はい》□《きん》を鍛《きた》える。

(8) □《は》出所から□《けい》察□《しょ》に□《い》動になる。

(9) 弟が□《うら》方兼《けん》□《はい》□《ゆう》で所属する□《げき》団一□《ざ》。

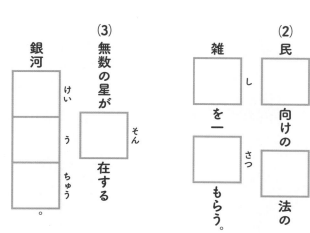

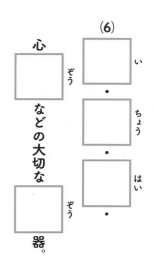

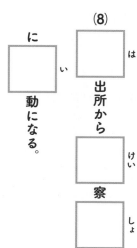

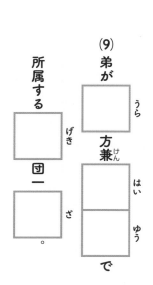

巻末資料　都道府県名一覧

難しい都道府県名を書く練習をしよう。カタカナを漢字にして書こう。

目標時間 5分

解答は別冊の P.019

〈北海道地方〉
(1) 北海道

〈東北地方〉
(2) 青森県
(3) 岩手県
(4) 宮城県
(5) 秋田県
(6) 山形県
(7) 福島県

〈関東地方〉
(8) イバラキ県（　　）
(9) トチギ県（　　）
(10) 群馬県
(11) サイタマ県（　　）
(12) 東京都
(13) 千葉県
(14) カナガワ県（　　）

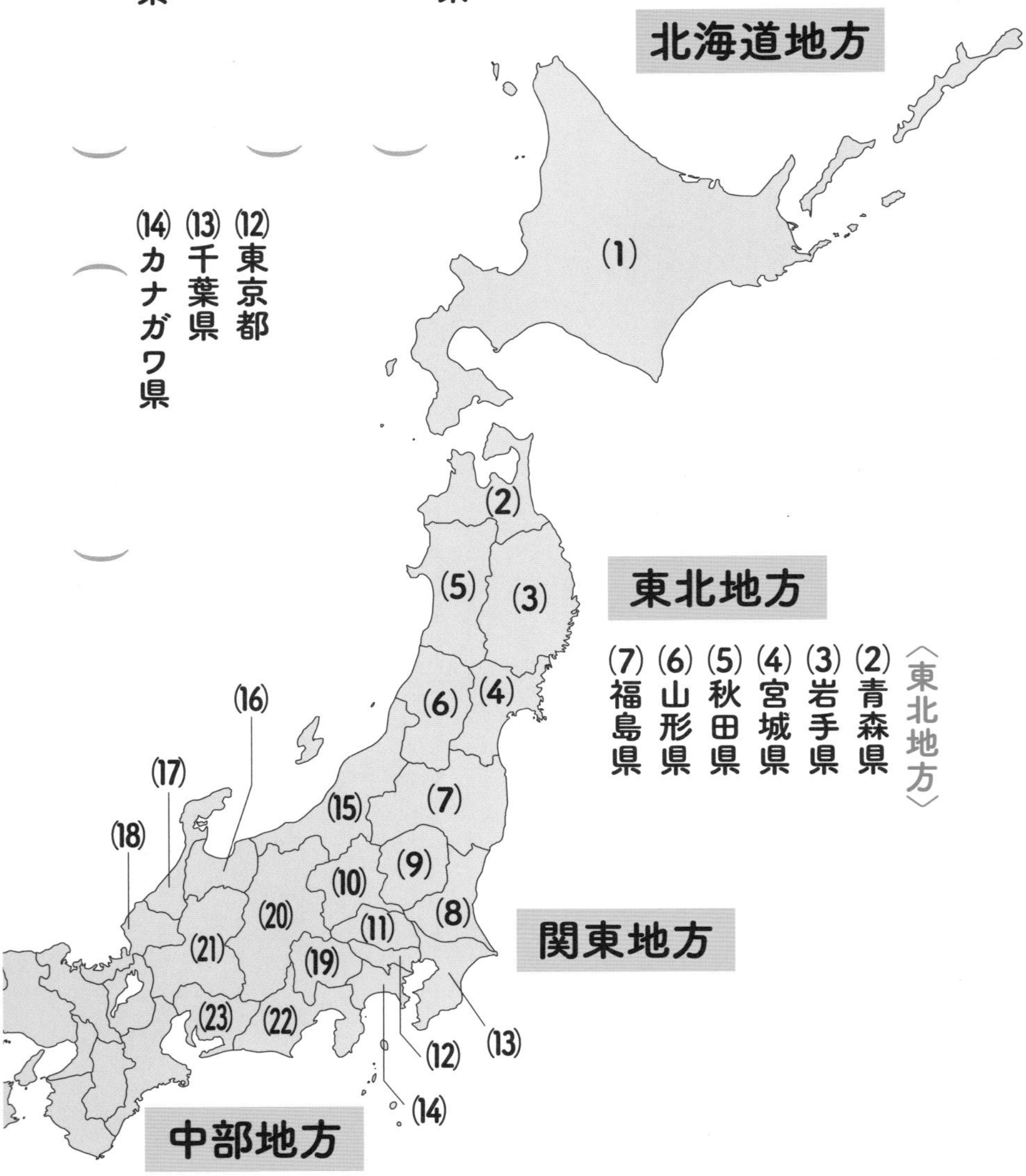

〈中部地方〉
(15) ニイガタ県（　　）
(16) 富山県
(17) 石川県
(18) フクイ県（　　）
(19) ヤマナシ県（　　）
(20) 長野県
(21) ギフ県（　　）
(22) シズオカ県（　　）
(23) 愛知県

〈近畿《きんき》地方〉

(24)三重県

(25)シガ県

(26)京都府

(27)オオサカ府

(28)ヒョウゴ県

(29)ナラ県

(30)和歌山県

〈中国地方〉

(31)鳥取県

(32)島根県

(33)オカヤマ県

(34)広島県

(35)山口県

〈四国地方〉

(36)徳島県

(37)カガワ県

(38)エヒメ県

(39)高知県

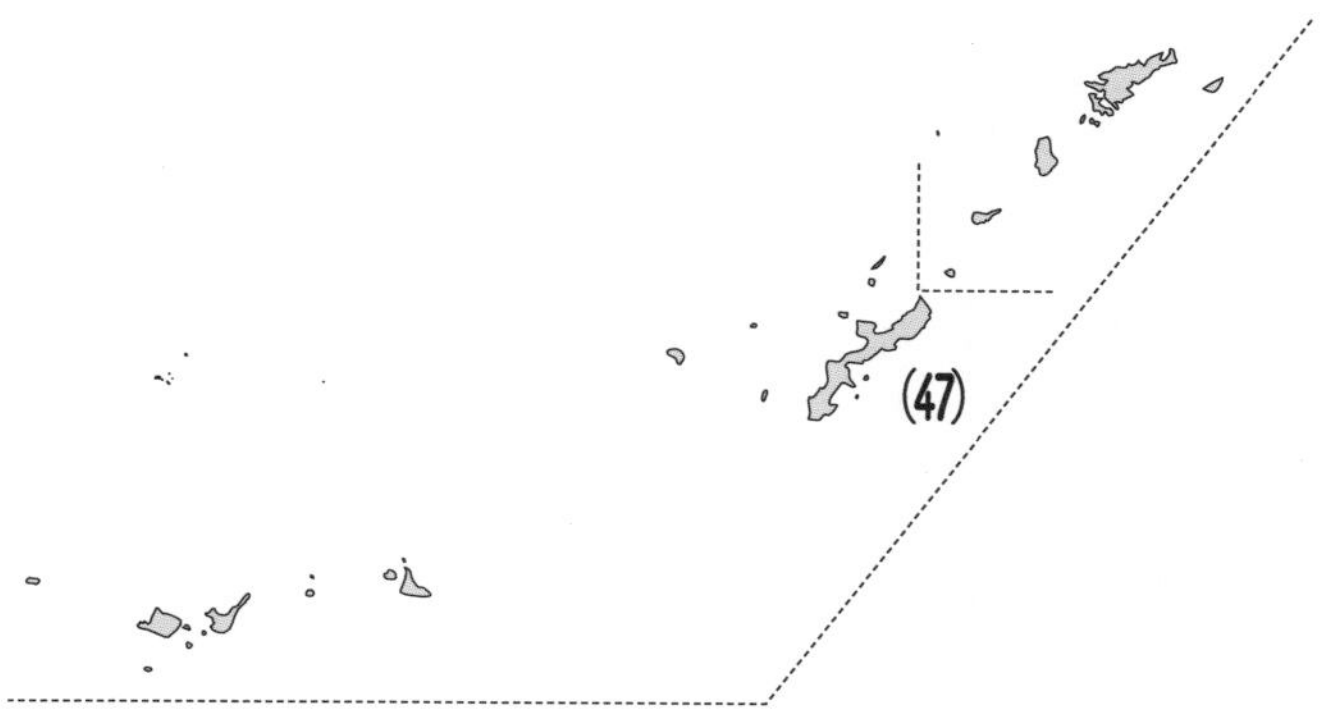

〈九州地方〉

(40)フクオカ県

(41)サガ県

(42)ナガサキ県

(43)クマモト県

(44)オオイタ県

(45)ミヤザキ県

(46)カゴシマ県

(47)オキナワ県

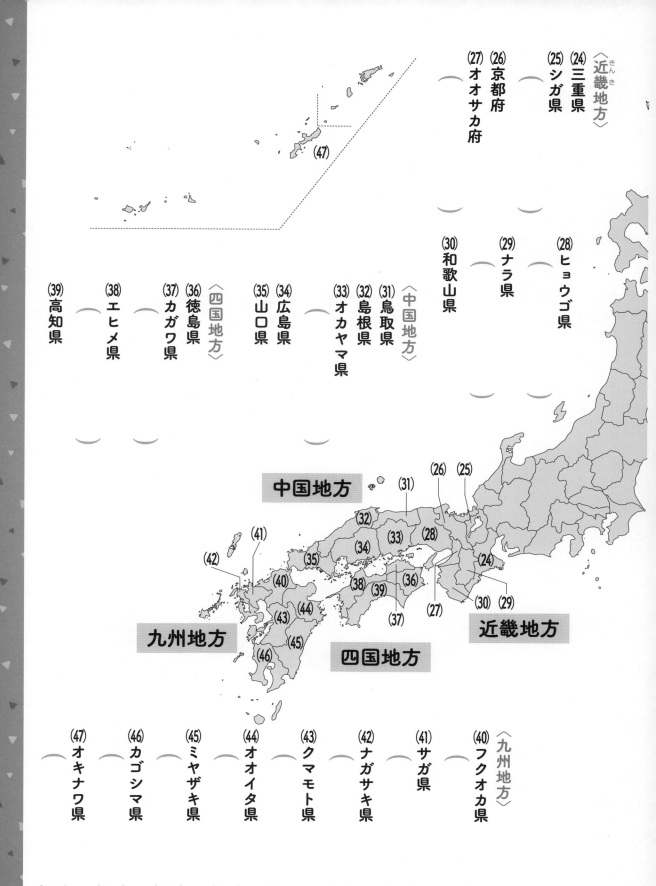

監修《かんしゅう》　陰山《かげやま》　英男《ひでお》

1958年兵庫県生まれ。岡山大学法学部卒。兵庫県朝来町立（現朝来市立）山口小学校教師時代から，反復学習や規則正しい生活習慣の定着で基礎学力の向上を目指す「陰山メソッド」を確立し，脚光を浴びる。

2003年4月，尾道市立土堂小学校校長に全国公募により就任。

百ます計算や漢字練習の反復学習を続け基礎学力の向上に取り組む一方，そろばん指導やICT機器の活用など新旧を問わず積極的に導入する教育法によって子どもたちの学力向上を実現している。近年は，ネットを使った個別の小学生英語など，グローバル人材の育成に向けて提案や実践などに取り組んでいる。

過去，文部科学省中央教育審議会教育課程部会委員，内閣官房教育再生会議委員，大阪府教育委員会委員長などを歴任。2006年4月から2016年まで，立命館大学教授。

現在，陰山ラボ代表。陰山メソッド普及のため教育クリエイターとして活躍し，講演会等を実施するほか，全国各地で教育アドバイザーなどにも就任，子どもたちの学力向上に成果をあげている。著書多数。

改訂版《かいていばん》　小学校《しょうがっこう》の漢字《かんじ》の総復習《そうふくしゅう》が7日間《かかん》でできる本《ほん》

2024年11月15日　初版発行

監修／陰山《かげやま》　英男《ひでお》

発行者／山下　直久

発行／株式会社 KADOKAWA

〒102-8177　東京都千代田区富士見2-13-3

電話：0570-002-301（ナビダイヤル）

印刷所／株式会社リーブルテック

製本所／株式会社リーブルテック

●お問い合わせ
https://www.kadokawa.co.jp/（「お問い合わせ」へお進みください）
※内容によっては、お答えできない場合があります。
※サポートは日本国内のみとさせていただきます。
※ Japanese text only

定価はカバーに表示してあります。

ISBN 978-4-04-606946-7　C6081

小学校の漢字の総復習が7日間でできる本

改訂版

監修
陰山英男
陰山ラボ代表・教育クリエイター

解答・解説

この別冊は本体との接触部分がのり付けされていますので,
本体からていねいに引き抜いてください。なお,この別冊抜き取りの際に
損傷が生じた場合,お取り替えはいたしかねます。

第1回 実力テスト

1

(1)こがい　(2)じょおう　(3)かいが
(4)はくまい　(5)から　(6)かわかみ　(7)ただ
(8)あまぐも

解説

(2)「じょうおう」ではなく「じょおう」が正しい読み方。
(3)「絵」は「かい」という読み方があるので覚えておこう。
(8)「雨」のように続く言葉によって読み方が変わる漢字があるので注意しよう。

2

(1)イ　(2)ア　(3)ア　(4)イ　(5)ア　(6)ア　(7)ア
(8)イ

解説

(3)「後」は「のち」とも「あと」とも読む。どちらなのかは前後の文の意味から考えよう。

3

(1)売買　(2)青年　(3)歩道　(4)岩場
(5)十人十色　(6)活気　(7)心当　(8)生
(9)晴・夜・星　(10)紙・学
(11)赤・花・春・野原
(12)父・海・船長
(13)村・鳥・歌声・聞
(14)黒・車・走
(15)公園・男・家・帰
(16)午前・強・風
(17)国語・社会・時間
(18)町・森林・水田・広
(19)耳・虫・羽音
(20)理科室・電池・教
(21)犬・朝・鳴
(22)天才・思考力・算数
(23)魚・牛肉・近・店
(24)母親・兄弟・多

解説

(1)「売買」は漢字の順序をまちがえないようにしよう。
(5)「十人十色」は「考え・好み・性質などが人によってそれぞれちがう」という意味を表す四字熟語。
(20)「電池」は「電地」としないように注意しよう。

第2回 実力テスト

1

(1)きゅうそく　(2)しょくもつ　(3)すみび
(4)とうばん　(5)はぐく　(6)ふでばこ
(7)けはい　(8)あっか

解説

(4)「登板」は「ある役割の担当者として登場する」こと。主に野球選手が投手で出場することを指すときに使われることが多い言葉。

2

(1)ア　(2)イ　(3)イ　(4)イ　(5)ア　(6)イ　(7)ア
(8)イ

3

(1)遊泳　(2)先取　(3)研究　(4)住所　(5)進級
(6)写真　(7)曲　(8)開　(9)病院・苦・薬・飲
(10)歯医者・着
(11)安全・問題・反対・理由
(12)急・坂
(13)駅・中央・始発・列車
(14)港・乗・島
(15)二階・美・横笛・調

(16)暑・夏服・用意
(17)豆・畑・一面・農村
(18)旅館・客様・鉄・金庫
(19)昔・羊
(20)相談・次・予定・手帳
(21)歩道橋・向・商店
(22)祭・守・平和
(23)球・返・練習
(24)委員長・仕事・助

解説

(8)「あける」には「開ける」のほかに「空ける」や「明ける」があるので、使い分けを覚えておこう。

(9)「苦」は読み方によって、「苦《にが》い」と「苦《くる》しい」のように送り仮名が変わる。

(23)「球」を「玉」としないように注意しよう。「玉」は美しく価値のあるものを表現するときに使う。「球」は球技のボールのような球体を表現するときに使う。

第3回 実力テスト

1

(1)ふろく (2)たいりょう (3)しゃくよう
(4)はつが (5)かんち (6)たば (7)と
(8)さっ

2

(1)積極的 (2)加熱 (3)辞典 (4)器官 (5)特訓
(6)静観 (7)昨夜 (8)念願 (9)栄 (10)清 (11)冷
(12)鹿児島 (13)山梨 (14)滋賀 (15)新潟
(16)沖縄 (17)好・芸人・欠
(18)関・国旗・祝
(19)季節・景色・望遠鏡
(20)倉庫・衣類・置
(21)失敗・成功・泣
(22)印刷・機械・埼玉・働
(23)初孫・仲・梅・笑
(24)競争・必死・努力
(25)指輪・愛・伝
(26)無理・結果・健康
(27)勇・戦・兵・軍隊
(28)億・兆・単位
(29)連・岐阜・建物・残
(30)試験・不良品・選別
(31)気候・変化・富
(32)生徒・標・案内

解説

(3)「辞典」は「言葉の意味を解説するための書物」で、「辞」は「言葉」という意味。「事典」は「特定の物事や一般的な知識について詳しく説明する書物」のことで、「百科事典」のように表す。

(4)「きかん」は「器官」のほかにも「期間」、「機関」、「基幹」など同じ読み方をする熟語が多いので、きちんと使い分けられるようにしておこう。

(18)「祝」のへんを「ネ（ころもへん）」にしないように注意しよう。

(21)「失敗は成功のもと」は「失敗の原因を見直せば、いずれは成功につながる」という意味の言葉で、「失敗は成功の母」とも言う。

(24)「競争」は「他の人と勝敗や地位を争うこと」。「競走」は陸上競技などで「走る速さを競うこと」。

(26)「結果」の対義語は「原因」。

(29)「建」は「健」としないように注意しよう。

第4回 実力テスト

1

(1)ふんまつ (2)こうかい (3)おうせつ
(4)ふさい (5)さかい (6)こころよ
(7)いとな (8)ふたた

2

(1)歴史 (2)現像 (3)製造 (4)国際 (5)宿舎
(6)絶対 (7)許可 (8)効果 (9)護衛 (10)精算
(11)条件 (12)輸入 (13)額 (14)述 (15)測 (16)修
(17)鉄鉱・貿易・利益
(18)河川・限界・増加・状態
(19)情報・常識・破・価格
(20)弁当・厚焼・団・桜
(21)祖父・技術・織物・職
(22)複雑・構内・新幹線
(23)責任・業務・経験・豊富
(24)布・清潔・保
(25)教授・招・講演・興味
(26)災害・適切・判断
(27)肥料・混・耕
(28)確率・燃・性質・証明
(29)定規・貸・謝
(30)往復・習慣
(31)検査・液体・準備・指示

解説

(10)「精算」は「金額を計算する」という意味。「清算」はお金に関することでも用いるが「過去の関係を整理したり解消したりする」という意味で使われる。

(15)「測る」は「長さや深さや高さ、あるいは能力を調べる」ときに使う。「計る」は「時間や度合いを調べたり、物事の見当をつけたりする」ときに使う。「量る」は「重さや容量を調べる」ときに使う。「図る」は「物事が実現するように考える」ときに使う。

(16)「修める」は「学問を通じて教養を身につけること」を表す。「納める」は支払いや商品の提供など「所定の場所や人にお金や物品の受け渡《わた》しをする」という意味で使われる。「収める」は「物が所定の場所に入ることや、ことがらが一定の状態に落ち着くこと」を表す。

(17)「鉄鉱」は製鉄するために必要な資源のこと。「鉄鋼」は鉄鉱石から製鉄を行うこと。

第5回 実力テスト

1

(1)いた (2)てっこう (3)ようさん
(4)こうしこんどう (5)しりぞ (6)た
(7)うけたまわ (8)の

2

(1)専門家 (2)針小棒大 (3)自己 (4)縮尺
(5)砂糖 (6)就職 (7)取捨 (8)発揮 (9)著者
(10)勤労 (11)裁 (12)映 (13)除 (14)呼 (15)届
(16)疑 (17)将来・宇宙・銀河系・探検
(18)机・激・討論
(19)裏表・誠実・明朗
(20)穴・秘密・宝・存在
(21)誤・階段・片足・骨折
(22)俳句・民衆・尊敬
(23)劇場・厳重・警備
(24)幼少・胃腸・腹・痛
(25)皇后・姿・拝見
(26)染・降・洗・干
(27)郵便局・操作・預金
(28)温暖・窓・閉・蒸
(29)若・脳・簡単・吸収

(30)強敵・奮・臨
(31)異国・郷土・胸

解説

(1)「専」は右上に点をつけないようにしよう。また「門」を「問」と書かないように注意しよう。

(2)「針小棒大」は「ものごとを大げさに言うこと」を表した四字熟語。

(12)「映る」は「姿や形が反射や投影によって物の上に現れること」。「写る」は「写真に形が現れること」。

(25)「拝」は横棒の本数に注意しよう。

DAY 1

1-1 1年生の重要漢字 読み ▼p8

1

(1)ウ (2)イ (3)オ (4)キ (5)カ (6)コ (7)ケ (8)ア (9)ク (10)エ

解説

(5)「手中」とは、「手の中」「所有している」「力がおよぶ」という意味。

2

(1)ひとけ (2)じょおう (3)おがわ (4)ゆう (5)のぼ (6)しら (7)かな (8)そう (9)ね

解説

(1)「にんき」と「ひとけ」の区別は、文の意味からしよう。

(5)「上《あ》がる」、「上《のぼ》る」は、送り仮名によって読み方が変わるので注意しよう。

(9)「おといろ」としないように。

3

(1)イ (2)ア (3)イ (4)ア (5)イ (6)ア (7)イ (8)イ

解説

(2)いろいろな読み方があるが、ここではお祝い行事である「しちごさん」と読む。

1-2 1年生の重要漢字 書き順 ▼p10

1

(1)入学 (2)九 (3)川上 (4)女 (5)円 (6)水田 (7)左手 (8)玉 (9)右 (10)出 (11)青年 (12)耳 (13)先 (14)足 (15)雨

解説

(3)「上」は読み方の多い漢字。「ジョウ・うえ・うわ・あ（げる）・のぼ（る）」など多数ある。中学生になるとさらに学習する読みが増えるので、確認《かくにん》しておこう。

(5)「丸」と間違《まちが》えないように注意。「円い」は平面的なものに、「丸い」は立体的なものに用いる。

1-3 1年生の重要漢字 書き ▼p12

1

(1)一糸 (2)下校 (3)大学 (4)火力 (5)天気 (6)出 (7)竹 (8)名 (9)休 (10)早 (11)草花 (12)貝 (13)空 (14)金 (15)音

解説

意味もあわせて確認《かくにん》しよう。

(1)「一糸」とは「一本の糸のように大変わずかなことのたとえ」。

(13)「机上《きじょう》の空論」とは「頭の中で考えただけの、実際には実現できない理屈《りくつ》や考え」のこと。

2

(1)八百年 (2)二本 (3)十人十 (4)山 (5)口車 (6)千 (7)男女 (8)小石 (9)子 (10)犬 (11)木林 (12)文 (13)石 (14)糸目 (15)正 (16)早生 (17)立 (18)竹林 (19)虫 (20)先 (21)見学 (22)赤 (23)町 (24)村 (25)青空 (26)森林

解説

(3)「十人十色」は一つの熟語で音と訓、二つの読みが出てくる四字熟語。「十人いれば十人それぞれ違《ちが》った意見がある」という意味。

(16)「生」は読み方の多い漢字。「セイ・ショウ・い（きる）・う（まれる）・は（える）・なま」など多数ある。中学生になるとさらに学習する読みが増えるので、確認しておこう。

1-4 テスト1 ▼p14

1

(1)く (2)やま (3)きゅうじつ (4)みみ
(5)かい (6)から (7)こう (8)たまい

解説

(1)「こうちょう」と読まないように注意。
(6)「そら」「くう」と読まないように注意。

2

(1)一目 (2)百人力 (3)出入 (4)下 (5)土足
(6)月 (7)水 (8)二 (9)木 (10)石 (11)生
(12)白 (13)正 (14)早 (15)男 (16)金 (17)森

解説

(1)「いちもく」は「ひとめ」でも意味が通じる場合はあるが、「いちめ」と読むことは基本的にない。
(4)「降」と意味の違《ちが》いを確認《かくにん》しよう。
(13)「不適当な部分を正しく改めること」という意味から考える。
(14)「速」と書き間違えないように。
(15)四字熟語「老若男女《ろうにゃくなんにょ》」。読みが難しいので確認しておこう。

3

(1)七月七日・空・見上
(2)天・川
(3)年玉・九千円
(4)車・一文
(5)青空・中・白・入
(6)天気・雨
(7)名・町村・人口
(8)先生・三・四
(9)虫・草・右・左

解説

(2)「天の川」を「雨の川」としないように。
(7)「人口」を「人工」としないように。

DAY 2

2-1 2年生の重要漢字 読み ▼p16

1

(1)オ (2)ケ (3)ウ (4)ア (5)キ (6)ク
(7)カ (8)コ (9)イ (10)エ

解説

(6)「絵」を「カイ」と読むことに注意。「絵画」で使われることが多いので、熟語で覚えておこう。

2

(1)ここんとうざい (2)かいしん
(3)しゅんかしゅうとう (4)あさいち
(5)じゃくにくきょうしょく
(6)ちょうじかん (7)ただ
(8)うんかい (9)らく

解説

(1)(3)(5)どれも覚えておきたい四字熟語。意味も一緒《いっしょ》に確認《かくにん》しよう。
(4)「チョウシ」と読まないように。「朝《あさ》に立つ市場《いちば》」という意味から考えよう。

3

(1)ア (2)イ (3)ア (4)イ (5)ア (6)イ (7)イ
(8)ア

解説

(4)「角が立つ」とは「関係が荒立《あらだ》つ」という意味。「つの」と読まないように。

2-2 2年生の重要漢字 書き順 ▼p18

1

(1)分 (2)牛肉 (3)午後 (4)引 (5)止
(6)画用紙 (7)電池 (8)当番 (9)回 (10)羽
(11)歌声 (12)作 (13)妹 (14)京 (15)教 (16)魚

(17)晴　(18)新　(19)線

解説

(2)「肉（にく）」はそのままでも意味が通じるが、音読み。注意して覚えよう。

(7)「電地」と書き間違《まちが》えないように。

2-3　2年生の重要漢字　書き①　▼p20

1

(1)工作　(2)万　(3)内　(4)父母　(5)古　(6)近
(7)何食　(8)言　(9)店長　(10)茶　(11)海　(12)通
(13)答　(14)絵　(15)新

解説

(14)「絵（え）」はそのままでも意味が通じるが、音読み。注意して覚えよう。

2

(1)多才　(2)止　(3)毛　(4)少数　(5)心　(6)引
(7)広　(8)行　(9)西　(10)交　(11)光　(12)思考
(13)来　(14)谷風　(15)形　(16)体　(17)雪国　(18)計
(19)秋晴　(20)首　(21)南　(22)春　(23)家　(24)高
(25)弱　(26)細　(27)魚　(28)船　(29)週間

解説

同訓異字、同音異義語に注意しよう。

(4)「小数」と書かないように。

(10)白米と麦はまぜた後も区別がつくため「交ぜる」。「混ぜる（まぜたものの区別がつかない）」と意味の違《ちが》いを確認《かくにん》しよう。なお、「男女混合チーム」「混声合唱」などで「混」を使うのは、一人ひとりの区別はつくけれど、一つのチームや一つの歌声と考えると分けられないから。

(13)「来る」は後に続く送り仮名によって読みが変わる動詞なので注意して覚えよう。

(16)「体制（仕組み）」「態勢（物事に対する構え）」「体勢（姿勢）」「大勢（おおよその形勢）」など、同音異義語がたくさんあるので注意しよう。

(18)ここでは「計る（時間）」が正しい。「測る（長さなど）」「量る（重さ）」と意味の違いを確認しよう。「秒」「cm」「g」など、単位で覚えると理解しやすい。中学生以上になると、他に「図る」や「諮《はか》る」「謀《はか》る」を学習する。

(22)「雨」を「さめ」と読むのに注意。

(29)「週刊」「習慣」と意味の違いを確認しよう。

2-4　2年生の重要漢字　書き②　▼p22

1

(1)丸　(2)今　(3)半　(4)外国語　(5)寺　(6)合
(7)同　(8)自　(9)羽　(10)社　(11)売買　(12)里
(13)汽船　(14)読点　(15)記

解説

(6)「活」と書かないように注意しよう。

(8)送り仮名に注意して覚えよう。

(14)「読点」とは文章の間に入る「、」のこと。句点「。」とあわせて「句読点《くとうてん》」で覚えよう。

2

(1)毛　(2)内　(3)地元　(4)母親　(5)台　(6)外
(7)会話　(8)池　(9)走　(10)体　(11)麦　(12)門
(13)知　(14)歩道　(15)前　(16)野原　(17)馬　(18)時
(19)帰　(20)雪　(21)組　(22)黒　(23)強　(24)黄
(25)朝　(26)答　(27)楽　(28)鳴　(29)頭

解説

(3)「元」の同訓異字「下（下部）」「本（根本）」「基（基本）」と意味の違《ちが》いを確認《かくにん》しよう。

(20)「雪月花」とは「自然界の美しいもののたとえ」。四字熟語「花鳥風月」もあわせて覚えておきたい。

2-5　2年生の重要漢字　書き③ ▼p24

1
(1)刀　(2)切　(3)太　(4)友　(5)色　(6)米
(7)毎朝　(8)里　(9)夜店　(10)歩　(11)東　(12)長
(13)昼　(14)活　(15)前

解説
(4)「腹心の友」とは「心から理解しあえる友人」という意味。
(6)60歳《さい》の「還暦《かんれき》」から始まり、節目とされる年齢《ねんれい》にはそれぞれ名前がついている。「米寿《べいじゅ》」は88歳。他の言い方も確認《かくにん》しておこう。
(12)陰暦《いんれき》の名前も中学で学習する。一月から十二月まで言えるようにしておこう。

2
(1)丸　(2)分　(3)戸　(4)市場　(5)兄弟　(6)同
(7)色紙　(8)売　(9)岩　(10)明　(11)風　(12)星
(13)野鳥　(14)道　(15)園　(16)聞　(17)語　(18)曜
(19)顔

解説
(10)読みだけ見て、「赤」と書かないように。「明」には「メイ・ミョウ・あ（かり）・あか（るい）・あき（らか）・あ（ける）」など多くの読み方があるので、確認しておこう。

2-6　テスト2 ▼p26

1
(1)こがい　(2)こめ　(3)かた　(4)ぢか　(5)き
(6)ちゃみせ　(7)え　(8)ちゅうしょく

解説
(1)「とがい」と読まないように。
(4)「じか」と書かないように。「ちか（い）」という読みから考えよう。
(6)「サテン」とも読めるが、一般的《いっぱんてき》には「ちゃみせ」と読む。

2
(1)弓　(2)才教　(3)丸太　(4)午　(5)方　(6)交
(7)西　(8)回答　(9)角　(10)谷　(11)思　(12)点
(13)記　(14)場数　(15)間　(16)親　(17)黄色

解説
(8)「解答」と意味の違《ちが》いを確認《かくにん》しよう。

3
(1)万・用・細・直線・引
(2)魚心・心
(3)直・姉・羽・矢
(4)明朝・時・門・兄
(5)色紙・何・半分・切
(6)父母・牛・馬・鳥
(7)来・考古
(8)曜・組・組・合同・作
(9)京・昼夜・行楽地

解説
(2)「魚心あれば水心」とは「相手が好意的であれば自分も好意をもって応じよう」という意味。
(7)「コウ」は同音異字の多い漢字。書き間違えに注意しよう。

DAY 3

3-1　3年生の重要漢字　読み ▼p28

1
(1)ウ　(2)エ　(3)ケ　(4)カ　(5)キ　(6)コ
(7)ク　(8)オ　(9)ア　(10)イ

解説
(7)送り仮名によって読み方が違《ちが》うので注意。「苦しい」＝「くる（しい）」と読む。

2
(1)あっか　(2)こおり
(3)けんきゅうじょ（けんきゅうしょ）　(4)い

(5)とうばん　(6)しなもの　(7)そくど
(8)りゅう　(9)ふでばこ

3
(1)ア　(2)イ　(3)ア　(4)ア　(5)ア　(6)ア
(7)イ　(8)イ

解説
(2)(5)「ぢ」「じ」の使い方に注意。「鼻血」は「血（ち）」の濁《にご》った音《おん》なので「ぢ」と書く。

3-2　3年生の重要漢字　書き順　▼p30

1
(1)区　(2)向　(3)死　(4)苦　(5)追究　(6)昭和
(7)委　(8)岸　(9)係員　(10)屋根　(11)病院
(12)酒　(13)悪　(14)宿題　(15)温　(16)暑　(17)植
(18)駅　(19)調整

解説
(12)九画目の横棒を忘れないように。
(15)「暖かい（気温など）」と意味の違《ちが》いを確《かく》認《にん》しよう。
(18)「駅（えき）」はそのままでも意味が通じるが、音読み。注意して覚えたい。

3-3　3年生の重要漢字　書き①　▼p32

1
(1)化　(2)央　(3)去　(4)暗号　(5)身　(6)歯医者
(7)局面　(8)開放　(9)幸福　(10)発想　(11)神
(12)急転　(13)秒　(14)起　(15)商

解説
(8)「解放」と意味の違《ちが》いを確認《かくにん》しよう。
(9)「似た意味を組み合わせた熟語」で定番の熟語なので覚えておきたい。

2
(1)主　(2)世　(3)他　(4)皮　(5)写　(6)州
(7)守　(8)有　(9)豆　(10)返事　(11)取　(12)具
(13)終始　(14)受　(15)表　(16)客　(17)炭　(18)消息
(19)配　(20)庫　(21)笛　(22)動　(23)宿　(24)短
(25)湯　(26)暑　(27)悲　(28)業　(29)調

解説
(5)「映す」「移す」と意味の違いを確認しよう。
(6)「欧州《おうしゅう》」は「ヨーロッパ」のこと。
(11)「取りつく島もない」は「たよるところ（解決する道）が何もなく困り果てること」という意味。他には、「相手がつっけんどんで話の進めようがない」「つっけんどんで相手をかえりみる態度が見られない」といった意味もある。
(13)「反対の意味を組み合わせた熟語」で定番の熟語なので覚えておきたい。
(24)送り仮名に気をつけて覚えたい漢字。

3-4　3年生の重要漢字　書き②　▼p34

1
(1)反　(2)主君　(3)洋式　(4)安　(5)全集　(6)曲
(7)決意　(8)指定　(9)県　(10)拾　(11)習　(12)第
(13)都　(14)様　(15)横

解説
(2)「君」には元々「一族の長」という意味があったことを覚えておこう。
(3)「式」は「弋（しきがまえ）」の上に「一」を入れたり「武」と書き間違《まちが》えたりしないように注意しよう。
(10)対義語「捨てる」と形が似ているので、書き間違えないように注意しよう。

2
(1)丁　(2)打　(3)羊　(4)助　(5)油　(6)昔　(7)注
(8)筆者　(9)相談　(10)待　(11)乗　(12)柱　(13)重荷
(14)旅館　(15)速　(16)陽　(17)等　(18)勝　(19)登

解説

(8)(17)「筆」と「等」は似ている漢字。書き間違えに注意しよう。

(14)「族」と書き間違えないように。

(15)「早い」と意味の違いを確認しよう。

(19)「上る」と意味の違いを確認しよう。

3-5 3年生の重要漢字 書き③ ▼p36

1

(1)化祭 (2)仕事 (3)皮 (4)相次 (5)守
(6)列島 (7)血 (8)坂 (9)決 (10)使 (11)服
(12)倍速 (13)飲酒 (14)漢詩 (15)鉄橋

解説

(3)「川」「革《かわ》」と意味の違《ちが》いを確認《かくにん》しよう。

(8)同じ「反」を持つ漢字「板」「阪」「飯」などと書き間違えないように注意しよう。

(11)「服（ふく）」はそのままでも意味が通じるが、音読み。注意して覚えたい。

2

(1)由 (2)向 (3)投 (4)育 (5)波 (6)味
(7)動物 (8)使 (9)屋 (10)運送 (11)進級 (12)負
(13)界 (14)持 (15)重 (16)流 (17)庭 (18)根 (19)宮
(20)配 (21)真 (22)球 (23)軽 (24)期 (25)港 (26)湖
(27)暗 (28)銀 (29)練

解説

(10)「似た意味を組み合わせた熟語」で定番の熟語なので覚えておきたい。

(22)「玉」と意味の違いを確認しよう。

3-6 3年生の重要漢字 書き④ ▼p38

1

(1)皿 (2)仕 (3)申 (4)平泳 (5)羊 (6)次
(7)住所 (8)実 (9)命 (10)油 (11)板 (12)勉
(13)病 (14)部 (15)湯

解説

(1)「血」と書き間違《まちが》えないように。

(2)「任」と書き間違えないように。

2

(1)由 (2)助 (3)対 (4)豆 (5)投薬 (6)炭
(7)畑 (8)美 (9)柱 (10)消 (11)問 (12)深 (13)帳
(14)章 (15)遊 (16)童 (17)階 (18)軽 (19)寒

解説

(8)「美」は書き順、部首共に間違えやすい漢字。横棒は四本で、部首は「羊（ひつじ）」というポイントを押《お》さえておこう。

3-7 テスト3 ▼p40

1

(1)しゅう (2)まった (3)はじ (4)ゆび
(5)ぴん (6)つ (7)かん (8)まつ

2

(1)丁 (2)平 (3)流氷 (4)申 (5)号 (6)世代
(7)礼 (8)両面 (9)次期 (10)研究 (11)具箱
(12)拾 (13)勝負 (14)勉 (15)寒 (16)横 (17)平等

解説

(9)同音異義語「時期」と意味の違《ちが》いを確認《かくにん》しよう。

(13)「反対の意味を組み合わせた熟語」で定番の熟語なので覚えておきたい。

3

(1)開・式・予想・倍
(2)度・反対運動・起
(3)区役所・坂・転
(4)重・荷物・身・題・銀皿
(5)仕・君主・死去
(6)庫・有・詩・童
(7)緑・美・羊・放
(8)級委員・使命・鼻

(9)業者・洋服・問屋

解説

(7)「放す」の同訓異字「話す」と意味の違いを確認しよう。

(8)「使命」の同音異義語「氏名」「指名」と意味の違いを確認しよう。

(9)「問（とん）」は訓読み。「問屋」で使われることが多いので、熟語で覚えておこう。

DAY 4

4-1 4年生の重要漢字① 読み

▼p42

1

(1)コ (2)ク (3)カ (4)キ (5)エ (6)ア (7)オ
(8)ウ (9)イ (10)ケ

解説

(9)「反対の意味を組み合わせた熟語」で定番の熟語なので覚えておきたい。

2

(1)かねつ (2)ふろく (3)ともばたら
(4)くらい (5)まご (6)せんきょ (7)ねん
(8)せいかん (9)と

解説

(1)「熱（ねつ）」はそのままでも意味が通じるが、音読み。注意して覚えたい。

3

(1)ア (2)イ (3)ア (4)イ (5)イ (6)ア (7)ア
(8)イ

解説

(1)「おふだ」「おさつ」どちらも正しい読み方。文脈で使い分けよう。
(3)「はつもの」と読む。

4-2 4年生の重要漢字① 書き順

▼p44

1

(1)加 (2)失敗 (3)結末 (4)令 (5)老 (6)街灯
(7)約束 (8)辞典 (9)季 (10)泣 (11)勇 (12)栄
(13)孫 (14)案 (15)給 (16)散 (17)焼 (18)愛
(19)観察

解説

(6)「街頭」と意味の違《ちが》いを確認《かくにん》しよう。
(8)同音異義語「事典」「字典」と意味の違いを確認しよう。
(9)「委」と書き間違えないように。
(10)「鳴（鳥や動物など）」と意味の違いを確認しよう。

4-3 4年生の重要漢字① 書き①

▼p46

1

(1)付 (2)功 (3)競争 (4)改 (5)希望 (6)冷
(7)材料 (8)芽 (9)便 (10)徒 (11)特訓 (12)貨
(13)産 (14)菜 (15)覚

解説

(3)「競走（走って競うとき限定）」と意味の違《ちが》いを確認《かくにん》しよう。
(6)(15)同訓異字の漢字。文脈を捉《とら》えよう。
(10)似ている漢字「従」と書き間違えないように。
(13)「生む」と意味の違いを確認しよう。「産む」は、出産や産卵などに使う漢字。

2

(1)氏 (2)以 (3)兆候 (4)共 (5)労働 (6)芸
(7)協 (8)卒 (9)単 (10)昨 (11)浴 (12)差 (13)郡
(14)害 (15)借 (16)陸 (17)票 (18)極 (19)隊
(20)試験 (21)照 (22)関 (23)旗 (24)静 (25)漁
(26)管 (27)億 (28)課 (29)議

解説

(21)「対照（照らし合わせて比べる）」は、「対照的（違いがはっきりしている）」という熟語で問われることが多い。同音異義語「対象（相手・ターゲット）」と意味の違いを確認しよう。また、中学生になると新たに「対称《たいしょう》」も学習するので、あわせて確認しておこう。

4-4 4年生の重要漢字① 書き② ▼p48

1

(1)欠席 (2)不（無） (3)参加 (4)伝説 (5)児
(6)利 (7)固 (8)松 (9)例 (10)牧 (11)信 (12)軍
(13)浅 (14)康 (15)景

解説

(11)意味の似ている四字熟語「消息不明」もあわせて覚えよう。

2

(1)民 (2)包 (3)辺 (4)好 (5)別 (6)府 (7)法
(8)径 (9)念願 (10)変 (11)巣 (12)器械 (13)健
(14)然 (15)無 (16)満 (17)飯 (18)達 (19)機

解説

(10)同訓異字が多い漢字の一つ。中学生になるとさらに増えるので意味の違《ちが》いを確認《かくにん》しておこう。

(12)(19)同音異義語の漢字。「機械」もあわせて意味の違いを確認しよう。

4-5 4年生の重要漢字① 書き③ ▼p50

1

(1)好 (2)仲良 (3)兵 (4)折 (5)低 (6)順位
(7)臣 (8)最初 (9)飛 (10)建 (11)城 (12)倉
(13)笑 (14)側 (15)清

解説

(7)三、六画目の縦棒を忘れない。

(9)書き順を間違《まちが》えやすい漢字。注意して覚えよう。

(10)「健」と書き間違えないように。

(12)「蔵」と書き間違えないように。

2

(1)夫 (2)未 (3)必 (4)衣類 (5)印 (6)努
(7)的 (8)果 (9)要 (10)連 (11)梅 (12)唱 (13)富
(14)節 (15)戦 (16)続 (17)塩 (18)輪 (19)養

解説

(1)「夫人（妻を表す）」と「婦人（女性全般《ぜんぱん》を表す）」の意味の違いを確認《かくにん》しよう。

(2)一画目が二画目より短くなっているか確認しよう。

(3)書き順を間違えやすい漢字。注意して覚えよう。

(6)「努める」は「努力する」という意味。「務める（任務・役割を担《にな》う）」「勤める（勤務する）」と意味の違いを確認しよう。

4-6 テスト4 ▼p52

1

(1)し (2)い (3)さつかん (4)ぐん (5)こう
(6)とみ (7)はくあい (8)かく

2

(1)兆 (2)協 (3)泣 (4)治 (5)径 (6)芽 (7)飛
(8)軍 (9)昨 (10)訓 (11)案 (12)害 (13)清 (14)景
(15)関 (16)課 (17)底辺

解説

(4)「直る」と意味の違《ちが》いを確認《かくにん》しよう。

(13)「清算」は「（借金や過去の関係などを）きれいにすること」。「精算」と意味の違いを確認しよう。

(15)「関心」は「興味があること」。「感心」「寒心」と意味の違いを確認しよう。

3
(1)満・欠・望・鏡・観
(2)司法試験
(3)府・特別給付
(4)伝・的・民芸・貨
(5)卒・祝辞
(6)季節・変・差
(7)漁夫・利
(8)材・塩・加・料
(9)選挙・街・説

DAY 5

5-1 4年生の重要漢字② 読み ▼p54

1
(1)イ (2)ケ (3)ク (4)ア (5)オ (6)カ (7)ウ
(8)エ (9)キ (10)コ

2
(1)ふかく (2)か (3)し (4)まい (5)けん
(6)えんがい (7)もっと (8)むす (9)まち

3
(1)ア (2)イ (3)ア (4)ア (5)ア (6)イ (7)ア
(8)ア

解説
(1)「すえ」「まつ」どちらも正しい読み方。文脈で使い分けよう。
(8)他に「競」を「ケイ」と読む熟語に「競馬」などがある。

5-2 4年生の重要漢字② 書き① ▼p56

1
(1)夫 (2)必 (3)民 (4)未満 (5)徒労 (6)低
(7)臣 (8)佐 (9)治 (10)府 (11)梅 (12)鹿
(13)巣 (14)産 (15)博

解説
(4)「未」の一画目が二画目より短くなっているか確認《かくにん》しよう。「満」の十〜十二画目を「ム」などとしないように。
(5)「徒労」とは「無駄《むだ》な苦労」のこと。
(11)中学校で「梅雨」と書いて「つゆ」と読む熟字訓を学習するので、覚えておこう。
(15)最後の「、」を忘れない。

2
(1)札 (2)成 (3)初 (4)各 (5)努 (6)冷静
(7)底 (8)典 (9)周 (10)器官 (11)牧 (12)例
(13)祝 (14)便 (15)勇 (16)省 (17)挙 (18)浴 (19)残
(20)連 (21)陸 (22)副 (23)望 (24)量 (25)無 (26)照
(27)置 (28)戦 (29)続

解説
(1)「礼」と書き間違《まちが》えないように。
(10)同音異義語「期間」「機関」などとの意味の違いを確認しよう。
(11)中学校では「牧場」を「まきば」と読む読み方も学習するので、覚えておこう。
(17)熟語「挙式（式を挙げる）」で覚えておくとよい。
(22)「福」と書き間違えないように。

5-3 4年生の重要漢字② 書き② ▼p58

1
(1)辺 (2)功 (3)伝 (4)老 (5)位置 (6)完
(7)治 (8)卒 (9)刷 (10)英 (11)飛 (12)節約
(13)議案 (14)帯 (15)散

解説
(7)他の同訓異字も重要。「収める」「修める」「納める」と意味の違《ちが》いを確認《かくにん》しよう。
(8)「卒寿《そつじゅ》」は「90歳《さい》」のこと。

2
(1)令 (2)仲 (3)灯 (4)好機 (5)求 (6)法
(7)香 (8)敗 (9)唱 (10)量 (11)群 (12)熱 (13)億
(14)標 (15)選 (16)積 (17)録 (18)願 (19)鏡

解説
(4)「好機」＝「良い機会」と連想するとよい。
(8)「破れる」と意味の違いを確認しよう。
(10)重さのときは「量る」。「gやkgは量」で覚えよう。
(11)「郡」と書き間違えないように。
(12)「暑い」「厚い」と意味の違いを確認しよう。

5-4 4年生の重要漢字② 都道府県① ▼p60

1
(1)北海 (2)青森 (3)岩手 (4)宮城
(5)秋田 (6)山形 (7)福島 (8)茨城
(9)栃木 (10)群馬 (11)埼玉 (12)千葉
(13)東京 (14)神奈川 (15)新潟 (16)富山
(17)石川 (18)福井 (19)山梨 (20)長野
(21)岐阜 (22)静岡 (23)愛知
(24)三重 (25)滋賀 (26)京都
(27)大阪 (28)兵庫 (29)奈良

解説
(8)「茨」は四画目の形に注意。「一」と真っすぐ書く。
(10)「郡馬」と書き間違《まちが》えないように。
(11)似ている漢字「崎」に注意しよう。
(15)書き順、形ともに間違えやすい漢字。特に「臼」の部分は注意して覚えよう。
(25)「滋」のバランスに注意しよう。

5-5 4年生の重要漢字② 都道府県② ▼p62

1
(1)宮城 (2)栃木 (3)新潟 (4)山梨
(5)岐阜 (6)滋賀 (7)大阪 (8)鳥取
(9)広島 (10)愛媛 (11)佐賀 (12)鹿児島

2
(1)和歌山 (2)鳥取 (3)島根 (4)岡山
(5)広島 (6)山口 (7)徳島 (8)香川
(9)愛媛 (10)高知 (11)福岡 (12)佐賀
(13)長崎 (14)熊本 (15)大分 (16)宮崎
(17)鹿児島 (18)沖縄

解説
(2)「取鳥」と逆に書かないように注意しよう。
(9)(15)特別な読み方なので、注意しよう。
(18)「縄」の十五画目はつき出ない。

5-6 テスト5 ▼p64

1
(1)き (2)さ (3)とち (4)いばら (5)なし
(6)さい (7)せき (8)かがみ

解説
(7)「関の山」とは「それだけで精一杯《せいいっぱい》」という意味。

2
(1)井 (2)以 (3)冷 (4)阪 (5)種改良 (6)児
(7)希 (8)信念 (9)香 (10)席順 (11)帯 (12)笑
(13)崎 (14)覚 (15)管 (16)潟 (17)単位

解説
(7)「古希」は「70歳《さい》」のこと。

3
(1)特訓・努・末・英
(2)標・成
(3)固・結束・共・戦

(4)初・旗
(5)奈良・鹿・群
(6)焼・照・清
(7)静養
(8)積極的・治
(9)要・験・浅

DAY 6

6-1 5年生の重要漢字 読み ▼p66

1

(1)コ (2)ア (3)カ (4)キ (5)ウ (6)ケ (7)イ
(8)ク (9)オ (10)エ

2

(1)きゅう (2)やさ (3)かかく (4)せつび
(5)い (6)かくりつ (7)いとな (8)す
(9)かいきん

3

(1)ア (2)イ (3)ア (4)ア (5)ア (6)ア (7)ア
(8)イ

解説

(4)「相手の攻撃《こうげき》を逆に利用すること」の意味では、「逆手（さかて）」と読むのが一般《いっぱん》的。
(6)「豊富」は「似た意味を組み合わせた熟語」で定番の熟語なので覚えておきたい。
(8)似ている漢字「鏡」と読み間違《まちが》えないように。

6-2 5年生の重要漢字 書き順 ▼p68

1

(1)永久 (2)支 (3)比 (4)仏 (5)団 (6)告
(7)志 (8)個性 (9)肥 (10)妻 (11)舎 (12)保証
(13)殺 (14)耕 (15)情 (16)険 (17)象 (18)際 (19)職

解説

(3)左の「上」を三画で書かないように。
(12)「保障（守る）」と意味の違《ちが》いを確認《かくにん》しよう。中学生になると新たに「補償《ほしょう》（償《つぐな》う）」も学習するのであわせて確認しておこう。
(19)「識」「織」と書き間違えないように。

6-3 5年生の重要漢字 書き① ▼p70

1

(1)圧 (2)示 (3)布 (4)条件 (5)序 (6)述
(7)招 (8)造 (9)基 (10)救護 (11)採 (12)検
(13)税 (14)夢 (15)解

解説

(8)「作る」「創る」と意味の違《ちが》いを確認《かくにん》しよう。
(15)中学校で習う「（塩が水に）溶《と》ける」と間違えやすい漢字。注意して覚えよう。

2

(1)久 (2)可燃 (3)因 (4)仮 (5)応 (6)技術
(7)河 (8)容易 (9)性格 (10)居 (11)逆境
(12)規則 (13)益 (14)素質 (15)修 (16)堂 (17)移
(18)接眼 (19)許 (20)張 (21)険 (22)現 (23)過
(24)営 (25)幹 (26)罪 (27)構 (28)講演 (29)確

解説

(3)「原因」↔「結果」で「反対の意味を組み合わせた熟語」で定番の熟語なので覚えておきたい。
(5)「答える」と意味の違いを確認しよう。
(8)「用意」と意味の違いを確認しよう。
(28)「公演」「公園」と意味の違いを確認しよう。中学生になると新たに「後援《こうえん》」も学習するのであわせて確認しておこう。他には「口演（講談師などが演じること）」「好演（見事に演じること）」といった言葉もある。
(29)送り仮名に注意して覚えよう。

6-4　5年生の重要漢字　書き②　▼p72

1

(1)武士　(2)旧　(3)現在　(4)快　(5)囲　(6)似
(7)均　(8)災　(9)余　(10)評価　(11)枝　(12)査
(13)修　(14)桜　(15)航

解説

(2)「新旧」は「反対の意味を組み合わせた熟語」で定番の熟語なので覚えておきたい。

(4)「心地《ここち》よい」「志《こころざ》す」「試《こころ》みる」など、似た読みのものと書き間違《まちが》えないように注意しよう。

(13)同訓異字に注意。「修学旅行」で覚えるとよい。

2

(1)防犯　(2)毒　(3)留　(4)破　(5)停　(6)貧
(7)混雑　(8)設　(9)備　(10)測　(11)象　(12)謝罪
(13)禁　(14)綿　(15)慣　(16)構築　(17)導　(18)暴
(19)額

解説

(3)「止まる」「停《と》まる」と意味の違いを確認《かくにん》しよう。

(15)「貝」の部分を「見」としない。

6-5　5年生の重要漢字　書き③　▼p74

1

(1)仏像　(2)歴史　(3)責任　(4)報告　(5)防
(6)囲　(7)肥　(8)版　(9)招　(10)妻　(11)効　(12)脈
(13)耕　(14)婦　(15)混

解説

(14)「婦人」は「女性全般《ぜんぱん》」を表す言葉。

2

(1)示　(2)再　(3)余興　(4)述　(5)型　(6)独
(7)故　(8)厚　(9)限　(10)酸素　(11)留　(12)採
(13)常　(14)断　(15)率　(16)授賞　(17)略　(18)貸
(19)貯　(20)喜　(21)提　(22)程　(23)絶　(24)減
(25)準備　(26)識統　(27)属　(28)増　(29)潔

解説

(6)「一人」と意味の違《ちが》いを確認《かくにん》しよう。

(8)「厚みがある」ときに用いる漢字。

(12)「取る」と意味の違いを確認しよう。

(15)似ている漢字「卒」と書き間違えないように。

(16)「受賞」と意味の違いを確認しよう。「授賞」は「賞を与えること」、「受賞」は「賞をもらうこと」を指す。一般的に、「受賞した人を式に呼び、賞を授ける」ので「授賞式」と書く。

(20)「喜色満面」は「喜びの笑顔《えがお》であふれていること」。

6-6　5年生の重要漢字　書き④　▼p76

1

(1)絶句　(2)判断　(3)状態　(4)武　(5)貿易
(6)非常識　(7)迷　(8)紀　(9)造　(10)責　(11)救
(12)張　(13)貧　(14)測　(15)復興

解説

(4)一画目の「こ」と八画目の「、」を忘れない。

(6)「識」を「職」「織」と書き間違《まちが》えないように。

(8)「記」と書き間違えないように。

(15)「復」の部首に注意しよう。「複」や「腹」と書き間違えないように。

2

(1)刊　(2)居　(3)往復　(4)制　(5)政　(6)祖
(7)粉　(8)損得　(9)経費　(10)液　(11)寄　(12)義務
(13)総勢　(14)飼　(15)豊　(16)夢　(17)精　(18)複
(19)銅　(20)編　(21)暴　(22)賛　(23)燃　(24)輸　(25)衛
(26)築　(27)績　(28)織　(29)額

解説

(3)(8)「反対の意味を組み合わせた熟語」で定番の熟語なので覚えておきたい。

(17)「精算」は「金額を計算すること」。特に「清算」と意味の違いを確認《かくにん》しよう。

(22)同音異字「参」と書き間違えないように。

(24)「輪」と書き間違えないように。

(25)「衛星」「永世」と意味の違いを確認しよう。

(27)「積」と書き間違えないように。

6-7 テスト6 ▼p78

1

(1)じょ (2)こう (3)ざい (4)こうみゃく
(5)りょう (6)ぞう (7)も (8)はそん

解説

(7)送り仮名に注意。「燃やす」が正しく、「す」のみは誤り。

2

(1)任 (2)均 (3)条 (4)評判 (5)往 (6)迷
(7)製造 (8)質素 (9)容 (10)過程 (11)増減
(12)酸 (13)銅像 (14)精 (15)衛 (16)謝 (17)慣

解説

(3)「金科玉条」は「大切にしている決まりや法律」という意味。

(10)「家庭」「課程」「仮定」と意味の違いを確《かく》認《にん》しよう。

3

(1)際・弁護士
(2)旧居留・歴史
(3)境・師団
(4)婦・快適・夢
(5)現在・築基準・適
(6)性能・導・効率
(7)桜・情報・提
(8)講堂・演・賞賛
(9)綿・粉・輸

解説

(1)(3)「〇〇士」「〇〇師」の使い分けに注意しよう。

DAY 7

7-1 6年生の重要漢字 読み ▼p80

1

(1)エ (2)ウ (3)イ (4)ク (5)カ (6)ア (7)オ
(8)コ (9)ケ (10)キ

2

(1)かん (2)ぞん (3)けい (4)た (5)のうへい
(6)こう (7)いこつ (8)す (9)こと

解説

(5)「天皇」「勤皇」など、「おう」が「のう」に変化する読みがあることに注意しよう。

3

(1)イ (2)ア (3)ア (4)イ (5)ア (6)ア (7)イ
(8)ア

解説

(4)間違《まちが》えて覚えがちな言葉。注意して覚えよう。

7-2 6年生の重要漢字 書き順 ▼p82

1

(1)干 (2)寸劇 (3)届 (4)延 (5)砂 (6)泉
(7)洗 (8)純 (9)訪 (10)探 (11)密 (12)窓 (13)割
(14)就 (15)暖 (16)勤 (17)揮 (18)盟 (19)閣

解説

(2)「寸劇」は「短い劇」のこと。

(8)十画目はつき出る。

7-3　6年生の重要漢字　書き①　▼p84

1

(1)幼　(2)庁　(3)針穴　(4)呼吸　(5)批　(6)孝
(7)乳　(8)刻　(9)忠　(10)映　(11)展覧　(12)閉
(13)探　(14)諸　(15)潮

解説

(6)「考」と書き間違《まちが》えないように。
(11)「展」の八～十画目を「衣」としないように。

2

(1)収　(2)危　(3)至難　(4)皇后陛　(5)困
(6)宗派　(7)拡　(8)拝　(9)供　(10)映　(11)染
(12)射　(13)討　(14)班　(15)株　(16)視　(17)捨　(18)域
(19)詞　(20)筋　(21)裁　(22)棒　(23)善　(24)激痛
(25)絹　(26)認　(27)誤　(28)論　(29)熟

解説

(1)「収める」は「きちんと片づけること。手に入れること」という意味がある。
(5)「因」と書き間違えないように。
(8)横棒の数に注意しよう。
(9)「備える」と意味の違いを確認《かくにん》しよう。
(23)「良い」と意味の違いを確認しよう。
(27)中学校で習う読み「謝《あやま》る」と意味の違いを確認しておこう。

7-4　6年生の重要漢字　書き②　▼p86

1

(1)己　(2)吸　(3)机　(4)宇宙　(5)我　(6)沿
(7)刻　(8)供　(9)宝　(10)担　(11)奏　(12)紅潮
(13)革　(14)腹巻　(15)座

解説

(14)「巻」の「己」を「巳」や「刀」にしないように。
(15)「座右の銘《めい》」は「自分が生活する中で大切にしている言葉。格言」という意味。

2

(1)拝　(2)退　(3)著　(4)異　(5)閉　(6)補　(7)幕
(8)賃　(9)層　(10)疑　(11)蔵　(12)敵　(13)臨　(14)操
(15)樹　(16)縦　(17)厳　(18)縮　(19)簡

解説

(4)(10)(12)(13)(16)四字熟語の意味も確認《かくにん》しておこう。
(8)「貨」「貸」と書き間違《まちが》えないように。
(11)「臓」と書き間違えないように。
(12)「適」と書き間違えないように。

7-5　6年生の重要漢字　書き③　▼p88

1

(1)収納　(2)冊　(3)宅　(4)否　(5)乱　(6)並
(7)承　(8)泉　(9)姿　(10)退　(11)俵　(12)値　(13)朗
(14)訳　(15)郵

解説

(6)「波」と書き間違《まちが》えないように注意しよう。

2

(1)縮尺　(2)片　(3)処　(4)若　(5)垂　(6)宣
(7)巻　(8)看　(9)砂糖　(10)将　(11)党　(12)恩
(13)骨　(14)秘策　(15)除　(16)磁針　(17)郷　(18)翌
(19)盛　(20)推　(21)尊敬　(22)割　(23)貴　(24)蒸
(25)署　(26)誌　(27)暮　(28)模　(29)遺

解説

(5)(8)横棒の数に注意しよう。
(24)「フ」を「丷」としていないか、「了」を「子」としていないか、九画目の「一」を忘れていないか確認しよう。
(25)「著」や「暑」と書き間違えないように。
(27)「幕」「墓」など似ている漢字に注意しよう。
(29)「意志」「意思」と意味の違いを確認《かくにん》しよう。

7-6 6年生の重要漢字 書き④ ▼p90

1

(1)存亡 (2)仁(人) (3)忘 (4)卵 (5)沿 (6)乱 (7)枚 (8)律 (9)頂 (10)欲 (11)晩 (12)補 (13)善 (14)傷 (15)源

解説

(4)書き順を間違《まちが》えやすい漢字。注意して覚えよう。

(9)「とうちょう」「とちょう」と二通りの読み方がある。

2

(1)舌 (2)券 (3)背 (4)忠誠 (5)肺 (6)胃腸 (7)胸 (8)俵 (9)従 (10)脳 (11)済 (12)筋 (13)創 (14)裏 (15)預 (16)装 (17)勤 (18)障 (19)穀 (20)銭 (21)誤 (22)疑 (23)権 (24)憲 (25)奮 (26)縦 (27)優 (28)警 (29)臓

解説

(2)「刀」を「力」や「己」としないように。

(11)八～十一画目を「月」としないように。

7-7 テスト7 ▼p92

1

(1)あな (2)えんかく (3)しょう (4)しゅう (5)ぼうじ (6)せい (7)そうじゅう (8)らん

2

(1)灰 (2)枚舌 (3)否 (4)延 (5)専 (6)段 (7)降 (8)秘密 (9)討論 (10)郵 (11)閉 (12)頂 (13)策 (14)尊 (15)権 (16)諸 (17)訳

解説

(2)「二枚舌」は「うそをつくこと」。

(4)「正」を「壬」としないように。

(5)「、」をつけないように。

(7)「下りる」と意味の違《ちが》いを確認《かくにん》しよう。

3

(1)幼・供・危
(2)衆・憲・誌・冊
(3)存・系宇宙
(4)班・忘・宅・届
(5)針・私・至
(6)胃・腸・肺・臓・臓
(7)誕・腹筋・背筋
(8)派・警・署・異
(9)裏・俳優・劇・座

解説

(2)「憲」の部首は「心(こころ)」。

(5)「至福」は「これ以上ない幸せ」という意味。

(8)「異動」は「移動」と意味の違いを確認しよう。

巻末資料 都道府県名一覧 ▼p94

(8)茨城 (9)栃木 (11)埼玉 (14)神奈川 (15)新潟 (18)福井 (19)山梨 (21)岐阜 (22)静岡 (25)滋賀 (27)大阪 (28)兵庫 (29)奈良 (33)岡山 (37)香川 (38)愛媛 (40)福岡 (41)佐賀 (42)長崎 (43)熊本 (44)大分 (45)宮崎 (46)鹿児島 (47)沖縄

都道府県の境界が入った白地図を掲載しています。学習にご活用ください。